義太夫節浄瑠璃未翻刻作品集成 79

義太夫節正本刊行会 編

浦島太郎倭物語

うらしまたろうやまとものがたり

玉川大学出版部

表紙図版　義太夫節浄瑠璃全盛期の竹本座と豊竹座

（早稲田大学演劇博物館蔵『竹豊故事』より）

刊行にあたって

浄瑠璃が板本として出版され始めてから、ほぼ四百年の時が経つ。その間に刊行された作品は千数百点にも達するであろう。わが国の代表的劇作家近松門左衛門の極く初期の作品を以て、古浄瑠璃と当流（新）浄瑠璃とに二分するのが浄瑠璃史の定説であるが、古浄瑠璃時代の作品（約五百点）は全てといってよいほど活字化されている。当流浄瑠璃となると、近松を初め、紀海音、錦文流、西沢一風、福内鬼外、菅専助の六作者に関してはそれぞれ全集が刊行されているが、それ以外の作者のものは文学全集等に収められた名作と称されるものに限られている。活字化された作品が極めて少ないのが現状である。

近代になると明治維新以前の書物が活字化されることとなる。この潮流の中に浄瑠璃名作も含まれ、その数は少なくない。だが名作の重複といわざるをえない。

近世芸能の浄瑠璃は近代になっても文楽の名のもと、舞台の芸能として隆盛を続けた。大阪という一都市に限らず、全国に文楽人口は充ち満ちていたといっても過言ではない。文楽を支える人口の相当数は浄瑠璃を習得する人口とも合致した。文楽は太夫、三味線、人形の三業によって成り立つ芸能であるが、太夫と三味線だけで浄瑠璃を聞かせること、今でいう素浄瑠璃でも十分満足できる。玄人は素浄瑠璃の会を開催する。素人もまた己の芸を披露することを試みる。これは浄瑠璃が音曲として勝れた表現技法を会得していることによるが、さらにいえば語られる内容が聴く者の心を揺り動かすためである。言葉を替えていえば文学としての鑑賞にも十分耐え得る内容を浄瑠璃が備えているということであろう。

浄瑠璃が語られ始めてさほど時を経ぬ時代から、文学として享受された記録は、全国各地に拾うことが出来る。何故か。手短にいおう。浄瑠璃は近世庶民の倫理観、人生観を構築していく上で必読書であった。それ故に近代の出版物に多く含まれたのである。

近世から近代まで、わが国の一般庶民に愛好された浄瑠璃、そこで展開された思想は、血肉となって伝えられたといってもよい。現代は如何であろうか。断絶があるという外はない。理由は浄瑠璃との接触の機が非常に薄くなったためである。この不幸な状況を打破すべく、私どもは義太夫節正本刊行会を平成十年に組織して活動を始めた。未翻刻作品を世に送り出し、あわせて戦前に翻刻があるものの手に入りにくく、今や未翻刻と同様の作品も対象とすることとした。

先に述べた古浄瑠璃の作品や浄瑠璃作者の全集は学術出版の形をとったが、ここに提供する「集成」は、誰もが一度は手にとらねばならなかった小・中学校の教科書を意識した造本にした。近代日本における個性あふれる教育機関として知られる玉川大学の出版部において、この「集成」が世に出ることも、何かの巡り合わせではなかろうか。このことは会員一同の喜びでもあり、今は読者の一人でも多からんことを祈る気持ちである。

右は第一期刊行時の趣意に多少の手を加えたもので、今も当初の意識を持続している。

第二期に至り賛同した数人の若い研究者の参加を得、第三期以降は更に賛同者を増加した。刊行会の発展の上でも心強く、学問の継承の上でも、大変喜ばしいことである。

＊

ここまでが、第七期の刊行決定直後に、ご他界なさった鳥越文蔵先生のご執筆によるものである。

今回も、「集成」の続刊を準備する間に、日本学術振興会から令和四年度・五年度科学研究費補助金及び令和六年度学術研究助成基金助成金の交付を受け、浄瑠璃正本の調査、デジタル・アーカイブ拡充に向けてのデータ作成を進めることができた。さらに日本学術振興会令和六年度科学研究費補助金研究成果公開促進費の助成にも恵まれたので、引き続き玉川大学出版部により「義太夫節浄瑠璃未翻刻作品集成」第八期として、十一作を刊行する運びとなった次第である。

なお、第八期の原稿作成最中の令和四年に、正本刊行会において長くご指導くださった内山美樹子先生が逝去された。先生からは「集成」の収載作品として、戦後数十年間に刊行された文学全集等に収載された作品も近年では入手しにくくなってきたことを鑑み、それらに収載された翻刻作品も改めて取り上げるべきとの方針をお示しいただいた。本研究会はその方針にのっとり、今期以降作品を選定していくこととした。

終わりにこの「集成」刊行にあたって底本を提供してくださった、大倉集古館、国立劇場、松竹大谷図書館、天理大学附属天理図書館、東京都立中央図書館加賀文庫、文楽協会豊竹山城少掾文庫、早稲田大学演劇博物館、諸本の閲覧を許された所蔵者・機関各位に篤く御礼を申し上げる。

令和六年　六月

義太夫節正本刊行会

目次

凡　例

一、底本　出来得る限り初板初摺の七行本を用いた。

一、作品名　内題によった。

一、校訂方針　底本を忠実に翻刻することを原則としたが、次のような校訂を施した。

1　丁付　丁移りの箇所は本文中に「（　）」を施し、その中に実丁数を洋数字で示し、表「オ」、裏「ウ」の略号を付した。

2　文字　①平仮名、片仮名とも現行の字体を用いた。

②常用漢字表、人名漢字表に収録されているものはその字体を使用することを原則とした。ただし、一部底本の表記に従って複数の字体を使用したものもある。

（例）回／廻　食／喰　杯／盃　竜／龍　涙／涕　婿／壻／聟

③特殊な略体・草体・合字などは表記を改めた。

（例）→様　→部（ただし→夕べ）　→候　→郎

→参らせ候　→給　→也　→こと　→こゑ

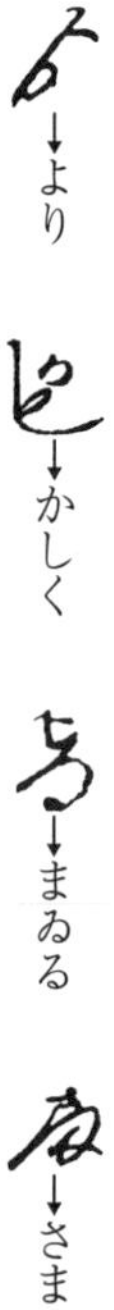

④踊字は、原則として平仮名は「ゝ」、片仮名は「ヽ」、漢字「々」に統一した。ただし「〱」は底本のままとした。

⑤仮名遣い、清濁、誤字、衍字は底本のとおりとした。

⑥＊は原本の「ママ」の意であるが、極力付さないこととした。

3　譜　墨譜は全て省略したが、文字譜は全て採用し、本文行の右、または振り仮名の右の適切と思われる位置に付した。

4　太夫　語る太夫を指定した略号は、それを「□」で囲い、文字譜の位置に付した。

5　句点　「。」で統一した。

6　破損　底本が破損などにより判読不能の場合は、同板の他本により補ったが、一々断ることはしなかった。

7　改行　本文は曲節等を配慮して適宜改行した。

一、解題　底本の書誌、番付・絵尽の有無（『義太夫年表　近世篇』に依拠）、初演年・劇場、主要登場人物、梗概で構成し、補記として校異本に触れることもある。

浦島太郎倭物語

浦島太郎倭物語

作者　為永太郎兵衛

序詞

我ヵ敷島《しきしま》のいにしへ。天津《あまつ》彦炎出見《ひこほゝでみ》ノ尊《みこと》。龍宮《たつのみやこ》に有《まします》こと三年《みとせ》。海《わたづみ》の神《かみ》の女《むすめ》。豊玉姫《とよたまひめ》を娶《めとつ》て安《やすらか》に楽《たのし》く。契《ちぎり》そめにし恋草《こひぐさ》の。神代《かみよ》の余《よ》風吹伝《ふうふきつた》へ。人世既《ひとのよすで》に五十三代。淳和《じゆんわ》天皇《てんわう》の御《こ》仁徳《じんとく》。育《めぐみ》にうるおふ蒼生《あをひとぐさ》。偃《のべふ》す千世の春風に　ヲロシ 中 ヘ枝も ウ 音《おと》なき。ハル 時とかや。ユリ

地色中 ウ

頃は天長《てんちやう》三年。二月《きさらき》上旬《じゆん》。空《そら》も ウ 長閑《のどか》に九重《こゝのへ》の。ハル 六角堂《だう》の法《のり》の庭《にわ》。救世《くせ》の悲願《ひぐはん》もいや 中 高き。（1オ）ウ 雲井を出て遠からぬ。ウ 河原《かはら》ノ左大臣源ノ ウ 融《とをる》公。ハル 冠リ装束《しやうぞく》花やかに。御堂《みだう》に向ひ偈仰《かつがう》あ 中 れは。ウ 中納言藤原ノ常嗣《つねつぐ》卿。

ハル同じ詣《まふで》が白繊《しらしゞら》。ウ袍《ほう》の袂《たもと》もたぶやかにフシ席《せき》を。中正《たゞ》して座をしめらる。

地ハル融ノ大臣《おとゞ》色正笏《しやうしやく》有。詞先達て貴卿《ききやう》より。朝廷《てうてい》の安危《あんき》に付。此所にて蜜談《みつだん》有度キとの御使イ。何事やらんとの給へは。常嗣不審の気色にて。イヤ大臣《おとゞ》の御ン方へ使を立し覚はなし。貴公より招《まね》きのお使イに預りしゆへ。常嗣も是へ参上。地中ハレヤレウ不審《しん》千万と。フシ互イに眉《まゆ》を顰《ひそめ》らる。

詞大臣重《かさね》て。此度当今の御脳《ごなう》只ならず。良《りやう》（1ウ）剤祷爾《ざいとうじ》の験《しるし》なき所に。大内記《たいないき》小野篁《おのゝたかむら》。記録所《きろくしよ》の秘記《ひき》を考《かんがふ》るに。人王二十二代雄略《ゆうりやく》天皇も。当今にひとしき御難病《なんびやう》にて。丹州《たんしう》与佐《よざ》ノ郡《こほり》水江《みづゑ》の。浦島太郎といふ者に命し。龍宮へ金芝艸《きんしさう》といふ霊薬《れいやく》を取リに遣されしに。浦島再《ふたゝ》び日本へ帰らざるは。雄略帝《てい》の不徳ゆへと覚たり。地中何とぞウ神力《しんりき》を頼み。ウ彼ノ霊薬を求《もとめ》ハル給へと。ウ篁が奏聞《そうもん》中に依《よつ》て。ウ天皇は桜木《さくらぎ》の女御《にようご》諸共。ハル津の国菟原《うばら》の住吉《すみよし》へウ御参籠《さんろう》中有しが。ウ数日《すじつ》都へ帰らせ給はぬは。ハルいぶかしさよと有けれは色常嗣卿。詞過キし夜帝《みかど》の（2オ）御ン夢に。明神告《つげ》て曰《の給はく》。浦島はいまだ龍宮《たつのみやこ》にながらへ。龍王《りうわう》の乙の姫に契りをこめ。三百年来日本へ帰らざれ共。当今御難病《ごなんびやう》の旨《むね》を龍王に神伝《かんづた》へ。良薬《りやうやく》を覚たる浦島を召かへさん。玉手箱といふ龍宮の。重器《ちやうき》を持チたらん者こそ。浦島也と。まざ〳〵しき神勅《しんちよく》有しゆへ。海近き国々へ触流《ふれなが》され候へ共。いまだ浦島太郎が。帰国《きこく》の風聞《ふうぶん》せざる事。いかゞ思召るゝぞ。イヤ其不審よりはさし当つて。両人を此所へたばかりよせしは。いかなる者の所為《しよい》成ルぞ。かゝる所に長居は無用。実《げに》尤と互ィに揖譲《いつじやう》。席《せき》を立んとし給へは。ヤア〳〵暫ク。両人へ使《し》（2ウ）者を立。招《まね》きよせしは我レ成ルぞと。呼はる声と諸共に。御堂《みだう》の扉《とびら》をはつし〳〵と踏《ふみ》ひらき。立出るは当今の御甥《おい》。高岳《たかおか》ノ皇子真如法親王《しんによほうしんわう》。金巾子《きんこじ》の冠リ袞龍《こんりやう》の御衣《ぎよい》。照日《てるひ》にかゝやく其行粧《ぎやうさう》。各《おの〳〵》はつと仰天《げうてん》すれは。

ヤア珍《めづ》らしや両人。汝等もしる通り。過し弘仁《こうにん》年中。藤原ノ仲成をかたらひ謀反《むほん》せしに。天運《うん》拙《つたな》く仲成は殺害《せつがい》せられ。丸が命も危《あやう》かりしを。融が申なだめ得させたるを幸に。高野《かうや》山《さん》にて出家《しゆつけ》し。真如《しんによ》と名《な》乗《のる》は仮《かり》の方便《てだて》。今既《すで》に時至《いた》り。凡《およそ》日本半国味方に付ケ置たれは。叔父《おぢ》帝トをぼいおろし。丸が王位を践《ふま》んず

（3オ）結構《けつかう》去ながら。融は我ヵ命を助けくれし恩も有。又常嗣は職事《しきじ》になれ。唐《もろこし》迄も名を揚《あげ》し者なれは。味方にすゝめん為の計略《けいりやく》。サア一味するか敵《てき》たふか。所存いかにと訇《のゝしり》給へは。常嗣卿すゝみ出。一度にこりぬ二度の御謀反。浮《うか》べる雲より危《あやう》しといはせも立ず。ヤア案外《あんぐはい》なる諫言《かんげん》だてと。猛気盛《まうきさかん》に熾立《もへたつ》ごとく。くはつと怒《いかり》の其顔色《がんしよく》。融ノ大臣おしなだめ。君は正《まさ》しく先帝《せんてい》の。東宮《とうぐう》にたゝせ給ひし由緒《ゆいしよ》もあれは。強《あながち》筋なき御謀反ならず。当今の御脳《ごなふ》を幸。常嗣と某心を合せ。御位《みくらい》譲《ゆづり》を執奏《しつそう》せんと。事を破《やぶ》らぬ（3ウ）頓智《とんち》の抜句《ぬけく》。心を察《さつ》して常嗣。王子の御威勢《ゐせい》強しといへ共。三種《じゆ》の神宝《じんほう》御ン手に入ラざる其内は。即位《そくい》の大礼行《たいれいおこな》はれずといふを打けし。ヲヽ。それを丸がぬかろふか。神祇《じんぎ》ノ伯宗方《はくむねかた》をかたらひ三ッの神宝は。先達て奪《うばひ》取たりと聞よりはつと。両人顔を見合セて。胸打さはぐ計也。忍び控《ひか》へし王子の候人《かうにん》。八栗監物景連《やくりけんもつかげつら》。大紋いかつに引繕《つくろ》ひ罷出。兼て君の御味方に加《くは》ゝり候。丹後ノ国の住人。浦島六次大夫時久《ときひさ》。先祖《せんぞ》浦島太郎龍宮より帰り候とて。只今召連レ参上す。いかゞ計ひ申さんやと中窺《うかゞ》へは。（4オ）ウ融常嗣打驚き。扨は浦島が帰りしか。ハル疑《うたがは》れざる神勅《しんちよく》やフシ奇異《きい》の。思ひをなし給ふ。

地色ウ皇子完爾《くはんじ》と打色笑《ゑみ》給ひ。詞誠に雄略帝の時に有し浦島を。地ウ今見る事のふしぎさよ。ハルはやく\是へのヲクリ召に\応《おう》じて立出る。地色ウ浦島太郎久冨《ひさとみ》。中三百余才のウ年月《としつき》を。中つもるウ頤《しらが》の雪ならて。廿三四のウ繻子《しゆす》鬢男《びんおとこ》。ウ跡に引添フウ六世の孫。ウ六次大夫はハル六十の。顔も形チもひねくれ親父《おやぢ》。御前ンにはつとひれ色ふす有様。まだハル花落《おち》の姫瓜《ひめうり》と。フシ梅干並《むめぼしならべ》しごとく也。

詞皇子見給ひ。ヤア六次大夫。汝が先祖浦島太郎とは。あの若（4ウ）者よな。ハ、はつと計リに頭《かうべ》を下《さげ》。大内よりの御ン触《ふれ》には。浦島太郎を連レ来らん者には。御褒美《ほうび》望ミ次第との御事なれ共。此六次大夫が皇子へ御味方申ス上は。祖父《ぢい》浦島も倶に別心《へつしん》なき証拠《しやうこ》に。地ウ今日御ン目見へハル致させ候と中相述れは。ハル浦島太郎色謹で。詞某が義は当昔《そのかみ》雄略天皇の御宇《ぎよう》。龍宮へ向《おもむ》き三年余りと思ひしが。地ウ三百余年はきのふけふ。ハル頻《しきり》に古郷なつかしくウ暇を乞《こふ》て色帰るさ。詞玉手箱と申ス物を給はつて候へは。地ウ限リなき我カ命と。ハル語る内より色融ノ大臣。詞コリ

ヤ〳〵浦島。汝が龍宮城より帰る事は。帝霊夢《れいむ》を蒙《かうむ》り（5オ）給へは其隠レなし。金芝《きんし》艸《さう》の霊薬《れいやく》を。早く
禁底《きんてい》へ。さし上べしとの給へは皇子さゝへて。イヤ〳〵浦島。其良 薬《りやうやく》をむさと帝へさし上ヶな。六次大夫
は我ヵ臣下なれは。彼レを連レ来りしは丸が手がらも同前。褒美《ほうび》は望次第とある。綸言《りんげん》に相違はなきか。
ム、扨は褒美を貪《むさぼり》給ふお心ゆへ。浦島が捧《さゝぐ》る霊薬を止《とゞめ》給ふよな。ヲ、丸が兼々。見ぬ恋にあこがれし。
桜木ノ女御を褒美に申受ヶたい。コハ思ひよらざる御ン仰。万乗《ばんじやう》の帝位《ていゐ》を望ム御ン身にて。一婦人《いつぷじん》の色に迷イ給
ふ事。我君には似合ずと。嗜《たしなま》されて。ホ、然らば。十善の位イをほうびに申受ふ。融常嗣（5ウ）両人共
に是より直クに。津の国菟原《うばら》の皇 居《くはうきよ》へ急き。有無の返答《へんたう》聞来れ。異義《いぎ》に及はゝ大軍をさし向ヶて鏖《みなごろし》。急
げやつと声は高岳皇子の邪《よこしま》。直クに融も暫クは。なびき随ふ世の常嗣。くもらぬ浦島祖父《ぢい》孫の。心は善悪
おしつゝむ。いがむ八栗に唱《いざなは》れ。生野の道の。八街《やちまた》や君が。めぐみぞ〽おしてるや。
難波の浦の。春景色《げしき》。八重《やへ》の波路を吹送る菟原《うばら》の里に跡垂《たれ》て。爰住吉の瑞籬《みづがき》や。年ふる御脳祈《ごなういのり》の為。当今

淳和《しゅんわ》天皇ウ桜木ウの女御《にようご》諸中共御参籠《さんろう》。ウ女官達の手車《てぐるま》にフシ君を誘《いざな》ふ浦伝《づた》ひ。
地色ウ当国菟原《うばら》の領主《りやうしゆ》。（6オ）ハル花熊先生《はなぐまぜんじやう》中兼之《かねゆき》夫婦。ウ天機《てんき》を窺ひハル奉んと。ウ遙《はるか》こなたにウ控《ひかゆ》れは女色御御覧し。詞我君
をとひなぐさめんと日《ひ》毎《ごと》の音ﾄなひ。地ハル寄特《きどく》さよとの給へは。ウ兼之はつと頭をさ色げ。詞冥加《みやうが》に余《あま》る御仰。それ
に付先達て。勅命《ちよくめい》下《くだ》りしあの窽《うつろ》舟。用意は仕候へ共。何とやらんいぶかしく。存奉り候と述けれは。地中主《しゆ》
上《しやう》ハル御涙にかきくれ中給ひ。詞年久しき朕《ちん》が病《やまふ》。龍宮より浦島太郎が。金芝艸《きんしさう》といへる良薬《りやうやく》を。取帰るべしと
の当社の霊夢《れいむ》によつて。浦島が帰国を待侘《わび》。地中海龍神《かいりうじん》にウ誓《ちか》ひ浦島太郎此土《ど》へ帰るならは。一つのハル鱗《うろくづ》を得さ
しめよと。此ごとく幾度《いくたび》か。釣《つれ》共〳〵むなしき釣竿《つりざほ》。ウ我ヵ不徳（6ウ）を顧《かへりみ》窽舟《うつろぶね》を色用意させしは。詞古《いにし》へ
の蛭子《ひるこ》の神も。朕《ちん》がごとく足のたゝぬ病《やまふ》により。地中風のまに〳〵ウ放《はな》されし岩ウくす舟の昔にハルなぞらへ。ウ身をな
き物とウ思ひ定ﾒし悲しさを。上推量《すいりやう》せよとキン計ﾘにて御フシノル衣を。ハルしぼらせ給ふにぞ。
地中女御漸《やう〳〵》ハル涙を色おさへ。詞其御嘆きは去事ながら。浦島此土《ど》へ帰るべき。験《しるし》を顕す釣《つり》の糸。地ウ今一応《おう》御ウ試《こゝろみ》と。

兼之《かねゆき》夫婦諸共に。勧《すゝめ》申せは真砂《まさご》を仮《かり》の高御《み》座《くら》。女官達に介抱《かいはう》せられ。主上《しゆしやう》は釣竿《つりざほ》とり〳〵に。祈願《きぐはん》を込メて人々も。心をこらし見る内に。さしくる汐《しほ》にびりゝと手ごたへ。引上ヶ給へは時にあふ。色もゑならぬ桜鯛《さくらだい》。かゝる奇瑞《きずい》を見る事はと。主上を始メ奉り嬉しさ類《たぐひ》はなかりけり。（7オ）

御悦びの折よしと先生が妻の浮橋《うきはし》。恐レ有ルお願イなれ共。夫ト先生が一人リの娘。求《もとめ》の前と申は。わたしとは血を分ヶぬ中なれど。いはんかたなき孝行《かうく》もの。何とぞして女御様へ。お宮仕へにさし上たふ存ますと申上れは。ヲヽ先生の娘求は都迄も隠レなき美人《びじん》の聞へ。自が手廻りにて召使んと有けれは。ハヽ有難き御仰と。悦ぶ事は限リなし。先生気を付コレ〳〵女官達。最前より吹しきる此浦風。玉体《ぎよくたい》に宜《よろし》からず。君を守護《しゆご》し。仮リの皇居《くはうきよ》へ供奉《ぐぶ》せられよ。某は是より御暇給はらんと。心を付て花熊先生。浮橋誘《いざな》ひ立帰る。

其日も既に。たそかれ時。早還幸《くはんかう》とざゞめく折から。都の方より融《とおる》ノ（7ウ）大臣《おとゞ》。中納言常嗣《つねつぐ》卿あはたゝしく参着《さんちやく》有。扨も主上此所へ行幸の隙を窺ひ。君の御ン甥高岳《おいたかおか》ノ皇子。天位《てんゐ》をうばひ奉らんと謀反の企。三種の神宝《じんほう》迄奪《うばひ》取リ。我々にも味方せよと有ゆへ。一味の体にもてなし。内奏《ないそう》せん為参上と有ければ。

女御を始メ官女達。驚きさはぐ計也。

君は怒リの御まなざし。先ン年皇子が謀反の時。藤原ノ仲成と一所に誅《ちう》すべきを。命助けし融なれは皇子が心置方なし。一味と見せて三種の神器を。奪イかへし得させよと。勅諚《ちよくぢやう》あれは常嗣卿。皇子の悪事の元トは。桜木の女御に心をかけての反逆《ほんぎやく》なれは。女御の御身の一大事。イヤ其段は気遣ひ有ルな。（8オ）女御は融が忍せ申さん。然らは主上は常嗣供奉し。何方へも立退《のく》べし。とかくいふ間もアレ見給へ。海の面《おもて》に数百の兵舟《ひやうせん》。波に轟《とゞろ》く鯨波《ときのこへ》。いざゝせ給へとすゝめても。君諸共にしなは一所とふしまろび歎き。しづませ給ふにそ。心よはくて叶はじと様々諌《いさめ》。融は都へ常嗣は。君を守護して住吉の。社内《しやない》をさして別レ行。

時も移《うつ》さず浜手《はまて》の方。俄に汐《しほ》のみちくるごとく。大勢引ぐし高岳ノ皇子。馬上ゆゝしく打跨《またがり》。八栗監物景連《つら》。浦島六次大夫時久。左右に随ふ轡《くつわ》づら。駒乗リすへて大音上。ヤア〳〵天皇はいづくにおはす。位ィを譲《ゆづり》女御も異義なく渡されよ。有無の返答聞ん為。皇子が自身向ふたりと。（8ウ）詈《のゝし》る声は浦風に響《ひゞき》渡つて冷《すさまし》し。

中納言常嗣踊《おどり》出。ヤア天命しらずの人非人《にんぴにん》。詞をかはすも穢《けがらは》し。忠義に鍛《きたび》し此常嗣が打物の。あんばい見よとつゝ立たり。ヤア命しらずの青蜻蛉《とんばう》。ソレ余《あま》すなと下知の内。つばなの穂《ほ》並《なみ》と抜連レ〳〵。討てかゝるを事共せずなき立〳〵。〽追まくる。

常嗣に切立られ。さしもの大勢色めき立。四方へはつと逃ちれは。八栗監物是に有。見参《げんざん》せんと渡り合。受つ流しつ社《やしろ》の方。遠近《おちこち》しらず追て行。

叶はぬ場所《ばしよ》と仕丁共。天皇をかきいだき皇子の前に蹲《うづくま》り。ア、御勿体《もつたい》なや天皇様。お逃ケなされたふてもお腰がたゝねは。何とぞ御命。お助けなされて下さりませ。ヤアうん（9オ）ざいめらが不吉《きつ》のほへつら。

立去レやつとねめ付られ。おづ〳〵逃行ク向ふより。八栗監物常嗣の首引さげ立帰り。目通リに押直せは。皇子いさんで引掴《つかみ》。ヤア天皇方の残党原《ざんたうばら》よつく聞ケ。丸に背《そむく》奴原《やつばら》はどいつでも此通り。サア臂《こしぬけ》の叔父《おぢ》帝。女御はいづくへ落されしぞ。真直《まつすぐ》に白状あれ。なんと〳〵とせちがへ共。主上は一向《ひたすら》御目を閉《とぢ》。朕はしらずと計にて不定を。観《くはん》ずる御有様。

ヱ、しぶとい根性《こんじやう》生ケて置クは娑婆《しやば》ふさげ。蹴殺《けころ》しくれんと立かゝれはこはいかに。忽チ爪頭《つまさき》痿痺《なへしびれ》。思はず跡へよろ〳〵〳〵。六治大夫抱《いだき》とめ。いか程不徳の天子でも。蹴殺す例《ためし》は候はず。幸是成窾《うつろ》舟。流し物にせよと有ル天の教《をしへ》。ヲ、六次大夫が（9ウ）よき存シ付。ソレ〳〵計ラへ。畏ツたと恐レも罰《ばち》も頤《しらが》の大夫。情も荒《あら》気の監物諸共。主上を苦もなくひんだかへ。窾舟へ無理むたい。押込ム跡からぱつし〳〵。釘鎹《くぎかすがい》にふたをとぢ。行たい所へ行しやれと。傍若無《ばうじやくぶ》人《じん》に突《つき》流せは。ふしぎや海中鳴動《かいちうめいどう》し。見馴レぬ鱗《うろくず》御舟を守護し。沖を遙カに流行。

皇子重てヤア〳〵両人。天皇方の奴原《やつばら》は。根を断《たつ》て葉を枯《から》せと。踊リ上り飛上り。猛威《もうゐ》はげしき其有様。

いさみにいさんで　〳〵立帰る。

都に名高き融《とをる》ノ大臣《おとゝ》の本所には。深く隠して桜木の女御をかくまひ奉り。うはべは皇子に一味と見へ。底《そこ》意《い》は誰レか白書院。御台所椰《なぎ》の方妼《こしもと》藤の井召連レて。一ト間（10オ）に向ひ手をつかへ。けふの御機嫌《きげん》窺ひと。御座の障子《しやうじ》を押ひらく。花の色香《か》も衰《をとろへ》て思ひに。しづむ桜木の。女御はしほ〳〵立出給ひ。

情なや高岳ノ皇子。自を見ぬ恋にあこがれ。それより事おこつて君をくるしめ。菟原《うばら》の社《やしろ》の別レよりいかゞ成行給ひしぞと。御目に涙糸萩《いとはぎ》の。露にゆらめく御風情。ア、其御嘆きは理り。おまへを此やかたに隠し参らす事。皇子方へ洩《もれ》聞へてもちつとも気遣ひない。我カ夫マの深き方便《てだて》候へは。お心弱《よは》ふ思し召スなと。藤の井諸共いさめ参らす折こそあれ。奥使イの女中罷出。お召なされし染物師《そめものし》。只今是へと申上（10ウ）れは。ヲ、其染物師待兼し。直クに通せとの給へは。心きかせて藤の井は。女御を伴ひ奥に入る。

中四十余《よそ》りにいやしげも奈良《なら》のウ春日《かすが》に後家《ごけ》ハル住居《すまゐ》。ウお鈴《すゞ》といへる染物師。ずつとウ通れは御台所。是へ〳〵とウ招《まね》

か色せ給ひ。詞扨はそなたが聞及ぶ信夫摺《しのぶずり》のお鈴よの。我夫マ融公のおさしづにて。蜜カにおことを招きしは私

ならぬ君の御用と。地ウの給ふ詞にお鈴ハルははつと色会釈《ゑしやく》して。詞コレハ〳〵数なりませぬ此身に。太切《たいせつ》なる御用仰

付られますは。冥加《みやうが》といはふか渡世《とせい》の誉《ほま》れ。随分《ずいぶん》と手際《てぎわ》に染てさし上ませふ。イヤ〳〵染物一ト通りの御

用にあらず。様子は蜜カに云聞せふ。まづそなたに逢せたいものが有ル。コレなふ（11オ）藤の井。地ハル〳〵と

ウ呼せ給へは。フシ何ンの御用と立出るを。

地色ハルお鈴見るより。詞ヤアそなたはおれが娘の藤の井じやないか。かゝ様ンかいな。テモまあわがみはよふまめ

て居てたもつた。大内に官女《くはんぢよ》を勤メて居やる内。笹田左金吾《さゝださきんご》といふ人と忍び合イし不義の科《とが》にて。二人共

に殺さりやつたと。聞クに悲しく泣くらして居たはいの。地ウなぜ息才で居やるなハルらしらしてウてはくれなんだと。

スヱテ嬉しさ余る中恨泣キ。

ア、其お恨ミは尤なれと。女御様のお情にて蜜カに命を助られ。左金吾様は東国《とうごく》へ身退《しりぞ》き。わしは此お館《やかた》へ召出されては有ながら。外様《とざま》の勤メは人目を憚《はゞか》り。お傍《そば》計リの御奉公《ほうこう》それで今迄隠していた。恨ミをはれて下（11ウ）さんせと。侘《わぶ》るを聞て御台所。ヲ、けふ呼ヒよせ親子の対面《たいめん》さするのも。皆我カ夫のはからひぞと。世に有難き御仰。親子は嬉しさ身に余りつもる月日のうさつらさ語リつきせぬ其所へ。お次の方より又取次。一通《つう》の書状《しよじやう》を御台所へさし上れは。封〆《ふうじめ》といてくりかへし。ア、思ひがけなき人の音信《おとづれ》。我カ夫は皇子の御所へ参内《さんだい》のるすなれは。自ラ是にて対面せん。先々お鈴親子は奥へ立テとの。仰に二人ンはあい〳〵の障子引立入にける。

廊下伝《ろうかづた》ひにしづ〳〵と入来る旅の侍イ。御目通り蹲《うづくま》れは。ナフ珍《めづ》らしや笹田左金吾。久々《ひさ〴〵》東《あづま》に有し身が何としての上京。今自ラへの文を見れは。蜜カに（12オ）尋度キ事有とは。いか成事ぞと問せ給へは。左金吾謹ンで。先年某。不義の科《とが》にて死罪《しさい》に行《おこな》はるべきを。女御の御ン情にて。蜜カに命を助けおかるゝ。御恩を報《ほう》ずるは此時と。遙々《はるぐ》東国より馳《はせ》上り候所に。頼ミに思ふ融公は。高岳ノ皇子に随ひ給ふと聞しが。よも誠の御味方にては候まじ。サアそれは自ラにさへ明カし給はねは。計《はかりかね》兼て居るはいの。何角の様子聞度クは。幸の咄相手《はなしあいて》が有ル程に。暫ク是にて待て居やと。云捨奥に入給ふ。

跡に左金吾とつおいつ。御台所の詞の端々《はしぐ》。合点行ず何にもせよ。融公の心底《しんてい》早く聞たしと。心を配《くば》る思案の半《なかば》。御台所の指図《さしづ》を受ケ何心なく藤（12ウ）の井が。お客様御退屈《たいくつ》。お茶一つ上ケませいとの御事也とさし出す。

顔見合セて互ィに恂《びつく》り。ヤア左金吾様か。藤の井か。ヤレ久しやと。いはんとせしが。色に迷ふて来りしかと。人目に立ては武士たゝずと。態声をあらゝげて。ム、扨は御台所の仰を受て是へ来られしか。融公の心底。善か悪かを聞ぬ内は。心置るゝ此館。以前のよしみあれはとて猥《みだり》に詞はかはされぬ。女中御馳走《ちそう》御無用と。顔をそむけてきつとばる。藤の井わつと泣出し。そふした堅《かた》ひ男気に根がほれたから此うきめ。

おまへに別レて一日もながらへゐる気はなかりしが。思ひ直してけふ迄命ながらへしは。女御様のお情をむげ（13オ）にすまい為計リ。今度の騒《さはぎ》に。此お館にかくまはれてましますを幸ィに。まさかの時は命にかへ。お供して立退《のか》ふと。思案極《きはめ》てゐるはいな。三日逢ねは人心かはる物とは世のたとへ。三日の事は扨置ィて年ン月久しう隔《へだて》てすめは。疑しやんすも無理ならねと。互ィに替るなかはらじと誓《ちかひ》し詞忘レはせぬ。なぜ藤の井か久しやと一ト言いふては下さんせぬ。難面《つれな》の殿御やどうよくな金吾様と。膝《ひざ》に寄添ィ身をもだへ。かつはとふして正体も嘆き恨ムぞ道理なる。

ヲ、其心底を聞クからは何しに隔ん。此上は夫婦心を一致《いつち》にし。女御の御先途《せんど》見届《とゞけ》ん。ぬかるな女房。

ヱ、イ。そんなら疑ィ（13ウ）はれたかへ。わしを女房といふて下さんすからは。親御様の云号《いひなづけ》して置カしやんした。花熊先生《ぐまぜんじやう》殿の娘御の事は。サレハサ。某とても女御の御情をむげにせまい為。本国和泉の親人御病死《びやうし》の折からも。国本トへたよらざれは。舅先生此金吾は誠に殺されしと思ひ。改メて求の前を。千《ち》努《ぬ》呉羽《くれは》之介といふ者に云号せしと世上の噂《うはさ》。につくい事とは思へど。我ヵながらへ有事をしらねは。求が不義共しかられぬ。アレまだどうでもひいき口と。地ハル跡は笑ひにウ打とけてウ稀《まれ》に逢ィ見るウ久方《ひさ》の。色天マのウ川原《がはら》の
ウ星《ほし》合と。フシ積《つも》りしうさを託《かこち》泣ク。
地色ウ折から表賑《にぎは》しく融ノハル大臣のお帰りと。いふに色驚き。詞ヤア女房（14オ）此体を見られては事の妨《さまたげ》。そなたは
早ふ奥へ行やと。地ウ其身も庭《には》にハル落椽《おちゑん》さき。フシ忍びて様子を窺ひゐる。
地色ウ左大臣源ノ中融公。拝領《はいりやう》の衣《い》装ウ櫃《しやうびつ》一ト間の内へかきハル入レさせ。いつにすぐれてウ悦気《ゑつき》の顔色《がんしよく》。御台所色出迎《むか》ひ。詞コレハ〱早いおさがり。御前の首尾は。ホ、其気遣ひは道理〱。我ヵ館にかくまい置ク。桜木の女御の事。余《よ》人《じん》より洩《もれ》聞へては不忠に成と思ひ。有の儘《まゝ》に申上しに。皇子には殊ない御感《ぎよかん》。何とぞしてくどきおとせ。承《せう》引《いん》なくんは首討てさし上よとの御《ご》諚《ぢやう》。ヱ、イ。いやさ驚く事はない。当時皇子の仰は勅 諚《ちよくぢやう》も同前。ム、すりやほんに女御様の（14ウ）首討ッお心かへ。それではまあ日頃の。イヤサ日頃は日頃今は今。な

びき給はずんは首にしてさし上ふと受合て立帰た。此上は否《いや》か応《おう》か女御の詞が生死《しやうじ》の境《さかい》と。聞より左金吾たまり兼て飛で出。膝元《ひざもと》にどつかとすはり。コレ融公。最前より忍ンで様子を承るに。案に相違《さうゐ》の御所存。情なや君は先帝《せんてい》の末《すへ》の御子。いかに臣下の烈《れつ》につらなり給へはとて。浅ましき御心底。いかなる天魔《ま》が見入レしぞと。いはせも立ずヤア日陰の身を以て。我カ館に忍ヒ入ルのみならず。身の程しらぬ諫言《かんげん》。立去レやつとねめ付給へは。金吾ちつ共たじろかず。大恩受し女御の御首。討ふと有ルを聞おぢし(15オ)て。のめ〳〵帰る某ならず。命にかけて何方《いづかた》へも御供申すと。奥を目がけて飛で入る。金吾ががんづか引掴《つかみ》。打付給へは起上《おき》つて。反リは打テ共手むかい叶ぬ高位《かうゐ》の勢ひ。笏振《しやくふり》上ケて打すへ〳〵。足下《そつか》にとうど踏付ケ給へは。ホヽ心底《しんてい》見へた融公と。一ト間の内より立出るは。浦島六次大夫時久。さも押柄《おうへい》にのさはり声。装束櫃《しやうぞくびつ》に忍ヒ入て是へ来りしに。驚キ入たる融公の御心底。斯クと聞しめさは皇子にも嘸御満悦。女御を討《うて》と有しは。大臣の御心を引見ん為の計略。恋君の御首猥《みだり》に討てよい物か。いで拙者が御供して御所へ伴ひ奉ると。奥の御殿へかけ入ルを。ナフ是（15ウ）待てと梛《なぎ》の方。跡につゞいて入給へは。何かはしらず一間の内にてばたつく物音。聞耳立テて左金吾が。あせるを大臣動《うごか》せず。ヤア叶はぬ事に肝精《きもせい》いるなとの給ふ内に。六次は御台を突《つき》のけはね除《のけ》。引立出るは女御にあらで妼藤の井。御袍《うへのきぬ》打かけて覚悟《かくご》きはめし其粧《よそほ》ひ。

大臣金吾を取て引立。アレあれを見よ。適《あつはれ》覚悟の御姿。能《よく》見て置ケとの。仰に金吾も疑イはれ。ハツアゼひに及はぬ御有様と。口にはいへと女房が志を感《かん》じ入。でかしおつたといひたげに目でしらすれは藤の井も。名残おしさはおしけれとおくれを見せじとコレ〳〵左金吾。自は今皇子の（16オ）御所へとらはれて行けれど。二世とかはせし我カ夫マの。ノ是。此桜木が為に。いとしひ殿御の情を忘れ。ことづまを重る所存更々なけれは。どうで皇子の憎《にくみ》を受ケ。殺さるゝはしれた事。今が此世の暇乞。主従《しうじう》三世の縁朽《ゑんくち》ず。未《み》来《らい》で必待ぞやと詞に花を桜木の。女御とうつす品形《しなかたち》。

詞ヤア無益の諄《くりこと》　時移る。地ハル早くござれと色引立て。詞コレ融公。其左金吾め助け置ィては。味方の害《がい》に成べきやつ。幸拙者が後詰《ごづめ》として。皇子の傅《かしづき》　八栗監物。半途《はんと》に出向ひ罷あれは。追付是へ来るべし。地ハル必手放《はな》し給ふなと。フシ詞を残し立帰る。

地色ハル跡見送て色梛の方。詞ナント左金吾。我ヵ夫マ（16ウ）の御心底合点がいたか。ハ、アかゝる御方便とは露しらず。最前よりのぶこつの段。地ハルまつぴら御免色下さるべし。詞ホ、衣装《いしやう》櫃《びつ》に六次大夫が。忍び有事悟《さとり》しゆへ。我も其方と手強《つよ》く争《あらそ》ひ。遉《さすが》の六次を思ふ儘にたばかつたり。去ながら心元ト なきは誠の女御の御身の上。サレハとよ。染物師のお鈴が娘に仕立。女御様はとくに裏《うら》道より南都の方へ落《おと》し参らせ候と。地ハル聞より左金吾ハア、残ル方なき御計ひ。然らは我レも裏道より追付。地ハル力を添んとせき色立上れは詞ア、女御の事は気遣ひなせそ。汝は六次大夫を追かけて藤の井をばいかへせ。イヤ色（17オ）に引れて女房を。ばいかへせしといはれては某が武士たゝず。イヤ〳〵左にあらす。今其方が追かけてばいかへさんとせは。いよ〳〵藤の井を桜木の女御と思ふは必定《ひつぢやう》。さすれはお鈴が娘とやつし。いつ迄忍はせ申す共気遣ひなしと。聞より左金吾ハアいかにも〳〵。仰に任せ六次大夫を追かけんと。いふ間もあらせす表に聞ゆる数多の人音ト。御二方タは先々奥へとすゝめやり。手ぐすねひいて待所へ。

大勢引ぐし八栗監物大音上。ヤア〳〵笹田左金吾。六次太夫がしらせによつて召捕リに向つたり腕《うで》を廻せとひしめけは。左金吾国平（17ウ）ちつ共動《どう》ぜず。ヲ、御恩を受た桜木の女御。御難義と聞たゆへ蜜カに都へ上つたかいもなく。浦島六次めにやみ〳〵とばいとられた。追かけて取かへす邪魔《じやま》ひろかは撫《なで》切リと。刀するりと抜放し。寄リくる奴原《やつばら》なぎ立る。万夫《ばんふ》不当《とう》のいきほひに。監物始め家来共。皆ちり〳〵に逃ちつたり。

長追無用と融ノ大臣。御台諸共立出給ひ。ホ、適レけなげ也。藤の井を取かへし。贋《にせ》物の方便《てだて》を隠すが。汝が働き急げ〳〵。ハ、ア然らはお暇。さらは〳〵と大臣御夫婦。帳台深く入給へは。

地色ハル　色　詞

又引かへす敵の大勢。イヤしやうこりもなきうづむし共と。　地ハル　ウ　ハル　当るを幸ィ（18オ）まつかう梨割。つゞいて

ウ　トル　フシ
かゝるを同じまくらに切付〳〵。なぎたつれは。さしもの大勢たまり得ず。逃行中にも血気の若者。伝五

地ハル　色　詞　フシ
伝六打てかゝるを。はつしと受て左右へはらひ。又切かくるを身をかはし。寄ルを一所に大袈裟生キげさ心

地よかりし最期なり。

詞　地ハル　ウ
ヲ丶気味よし〳〵手始メよし。是より六次におつ付ィて。仮リの女御をばいかへさんといさみ。すゝんて立

中ウキン　ハル　ウ　ウ
出る。いろとなさけといもとせの。三つをはなれてわれはまた。忠義のみちに恋妻のあとを。したひて急

ぎ行。（18ウ）

第弐

島根見命《しまねみのみこと》の後胤《こういん》浦島太郎が六世の孫。六次大夫時久か本領《ほんりやう》。水江の庄の屋敷こそ俄に改む大名格《がく》。在京の御留主とて外出《ぐはいしゆつ》他参《さん》の人々も。頭《づ》を下札《さけふだ》の吟味《ぎんみ》迄。掟《おきて》きびしく聞へける。

春を名残の。衣がへ。齢《よはひ》六十《むそじ》に近けれど。都をまなぶ伊達《だて》姿は六次大夫が妻の岩瀬。帰るさ急ぐ老の坂。

中々奥様。余りお急ぎ遊すなもふお屋敷でござります。ヱ、そち達はしんどいか。若に似合ぬ者共じやな。

けふ自が神参は。都におはする連合六次（19オ）大夫殿。皇子様の御前の首尾《しゆひ》よふ。武運《ぶうん》長久の祈《いのり》の為と。

云聞すれは妼共。ホンニ御殊勝《しゆしやう》なお志《こゝろざし》。それに付お尋申上たいは。御隠居浦島太郎様の事。まだ廿二三に見へるお方を。祖父《ぢい》様〳〵と敬《うやま》ひ給ふはすつきり合点が参ませぬ。ホ、其ふしんは道理〳〵。若ふ見へれど浦島様は。夫六次大夫殿の為には六代先の祖父様。龍宮《りうぐう》より玉手箱といふ物に八千歳の寿命《じゆみやう》をこめて。持てお帰りなされたりやいつ迄もあの通り。ヱ、イ。そんなら人の噂に違はぬ。乙姫といふ龍宮の姫宮と夫婦に成リ。三百年が間タの長逗留《ながどうりう》。ほんに此界《かい》なら頤《おとがい》で。蠅追《はいおふ》ように成で（19ウ）あろ。サアそこが水沢山《たくさん》な龍宮の一徳。水つかひが荒《あら》ふても。あぶなげはないは地ハルいのとどつとフシ笑ふ其折ふし。

地色ウ廟参《びやうさん》の下向とて。ハル供の下部に中案内させ。ウ立帰る浦島太郎久冨《ひさとみ》。ハル嫁《よめ》の岩瀬が色出迎《むか》ひ。詞コレハ/\祖父様。いかふお隙が入ました。ヲ、其筈/\。思ふてもおみやれ。三百四十八年以来《このかた》の子々孫々の諸聖霊《しよしやうりやう》。悉《ことぐ》く回向《ゑかう》すれは二三日もかゝれ共。地ウそれを一日がけ。ウ是も回向《ゑかう》のハル勘略《かんりやく》と。ウそぐはぬ祖父と孫嫁はウ継木《つきゝ》の枝に待花の。フシ咲損《さきそこな》ひしごとく也。

地ハル色浦島重《かさね》て。詞イヤなふ岩瀬。けふ廟参《びやうさん》の帰るさ。大海《だいかい》兵衛といふ者浦島に奉公を望む。召抱へ置は。孫の六次大夫かまさかの時（20オ）の用にも立へき者と。主従の契約《けいやく》した近付に成召れ。ソレ家来共。彼者是への詞に随ひ。東風《こち》吹風や汐馴《しほなれ》の。毛綿どてらの健男《ますらお》が。のつさ〳〵とあゆみくる。

ヤア大海兵衛くるしうない。是へ参れ近ふ〳〵。ハツはつと間近く手をつけは。ヲ、頼もしきこつがらや。名も珍《めづ》らしき大海兵衛とつきやつたは。ハ、御尤の御尋。拙者生国は泉州堺《せんしうさかい》七度の浜。親共年来子なき事を愁《うれひ》て。住吉大海神へ告子《まうしご》。ぎやつと此世に産《むまれ》て其儘大海兵衛。浜辺《はまべ》育《そだち》の荒仕事《あらしこと》。海《かい》上の一通りはこつちの得物。ろかいを取ては神変《じんへん》神通。いかなる風波《ふうは》の難《なん》も恐ず面楫《おもかぢ》。取楫。ホ、。ホ、（20ウ）まつかせ。波に柃《このは》の散蓮花《ちりれんげ》。いつかな怪我はござりませぬでござりますと。八十島かけて流るゝ詞。岩瀬もかんじ居たりしが。
ヲ、夫ト六次大夫殿は在京なれ共。舟の上一通リを云立《いひたて》に。奉公《ほうこう》望む其方取なしはわらはが仕ませふと。いふに浦島下部を招き。最前途中《とちう》にて註進《ちうしん》の浦人共。是へ参れと云付よ。ナニ岩瀬。大海兵衛をつれそなたは先キへ帰りめさ。然らはお先へ参りますと。伴ひてこそ入にけり。

声囂く浦人共。大勢手舁《てがき》に窾《うつろ》舟。お目通りにおし直せは。ヤア汝等。目馴《なれ》ぬ物を持参《ぢさん》して。註進《ちうしん》とはいか成子細。アイ御注進申ますするは此窾《うつろ》舟。是に居ます茂介が嗅。（21オ）浮藻《うきも》を取に参りましてふつと見付。中ヵへ片足踏込《ふんごん》だれは。何がそれから天皇様。〱とあぢな名を口ばしり。おさへるやらく丶るやらそれは〱恐しい事。村中が佗言《こと》してやりましたれは。とんと元の嗅《か丶》に成ました。此様なふしぎな事。後日のお咎《とがめ》いかゞと存じ。是迄持て参りましたと。土に額《ひたい》を摺《すり》付れは。

浦島立寄ㇼとつくと見て。ム、扨は皇子の計ひにて。天皇をながし奉りしと世の噂。誠に是は神代《じんだい》の例を今ぞ岩くす船。其室《むろ》の戸は跡計。釘鎹《かすがい》の離《はなれ》しは。ハ、アすれは玉体《ぎよくたい》に恙《つゝが》なかりしと。独ㇼ呑込ミ心に納め。ヤア浦人共。左様の不思議を見る上は麁抹《そまつ》には成かたし。（21ウ）浦島が思ふ子細あれは。其儘そこに置て帰れ。ハア畏ㇼました。然らは御暇下さりませふか。ヲ、別義あらは此方より召出さんと。浦島太郎門内さして入相の。鐘に連立浦人も別て〳〵こそは帰りける。

思ひ有身の。行末は。しよろ〳〵水の陰細き。挑《てう》灯提て夜ルの旅。野山を凌《しの》ぎ浦島が門前ン近く立寄て。門ほと〳〵とおとづるゝ。門より番人声々に。ヤア夜《や》中《ちう》に何者成ルぞと咎ムれは。イヤ摂州生田の神職《しよく》。千努《ちぬ》権《ごん》ノ頭《かみ》と。岩瀬殿へ伝ェてくりやれといひ入れは。

門ひらかせて岩瀬はとつ〳〵出来リ。ヤア権ノ頭様か珍らしやなつかしや。サア先ッお入と有けれは。イヤ〳〵門外迄参るも不遠慮《りよ》に（22オ）存ずれ共。ぜひなき子細有ッて参ッた。ア、そりやあんまり堅《かた》くろしい。躮亀若が三の年音信《いんしん》不通《つう》に進せたゆへ。是迄互ィに往来《ゆき、》はせね共。折角《せつかく》お出なされ門内へお入なきはそりやあんまり。イヤ其時互ィの詞は金鉄《きんてつ》。門内へ通つては猶拙者が立ませぬ。二十余年養育《やういく》して。稚名《おさな、》の亀若を呉羽之介清光と改め。真実《しんじつ》の躮も同前に存た所に。当春より家出《いへで》して今に行衛が知レませぬ。フウ其様子人伝《つて》にて聞。けふもわらはが物詣。神や仏に頼をかくるは我子が為。左程迄不便に思ふ一人リの躮を。お前へ進ぜし其訳は。梟鳥懐《ふところ》に入と夢見て。あの亀若を懐妊《くはいにん》せしゆへ。ひよつと（22ウ）六次大夫殿の身の上に。凶事《けうじ》が有ッてはいかゞと人手へ渡し。思ひ切ッたとはいふ物のどこやらが血筋《ちすじ》の末。不便にござるとかきくれて。涙に　袖をぞしぼりける。

イヤこなたの嘆きも尤なれ共。身共が心にも成ッてみさつしやれ。東西《とうざい》わかぬ時は義理も有てそだてしが。今では可愛や不便やとばつかり思ふて迷ィます。殊に云号《いひなづけ》の縁も有。其娘の親へも言訳なしと。いふに岩瀬も倶涙。うきよの義理に二タ筋の。滝《たき》ももつるゝ計也。

岩瀬漸《やう〳〵》涙をおさへ。倶々尋にと存ずれ共夫トのるす。責《せめ》ては是を道連《づれ》にと。懐中《くはいちう》より金ン五十両取出して。手に渡せは突戻《つきもど》し。行先キしれぬ旅なれは（23オ）とくと用意もいたした。申受た同前御返進《へんしん》申す。

ハテいらぬお時宜《じぎ》。畢竟《ひつきやう》旅の道連レと。押やれは押戻す。塀《へい》を見越シの松が枝《ゑ》より。始終《しじう》を窺ふ大海兵衛。ちゝりを礫《つぶて》に挑灯《てうちん》の。火を打けせはハア〱是はと。二人がうろつく　まつくらがり。大海兵衛は松よりおり立。件《くだん》の金を引掴ミ。懐中して立忍べは。

詞イヤ〳〵ぜひ持ていて下さりませ。ハアそれ程に迄おつしやる事。然らは暫ク預ヵりませふ。どれ金子は。
イヤそれに。イヤごさらぬと。地ウ互ィに捜《さが》すくらまぎれ。ハル時に門色内さはがしく。詞新参《しんざん》の大海兵衛。玉手箱を
盗ミ行方しれずと。地ハル聞より岩瀬はつと仰天《げうてん》。ウ権ノ頭様まあそれにと。ウ残る心をフシ振捨《ふりすて》内（23ウ）に入けれは。
地ウ跡にうつかり色権ノ頭。詞コリヤ何じや。内にも盗賊《たうぞく》有と騒《さは》ぐ。地ウよし〳〵長居は無益《むやく》ぞと。ハル立て生田のウ神主《かんぬし》は。
フシ旅宿《りよしゆく》をさして急行。
地色ウ人影なけれは大海兵衛。ウ盗ミ持たる玉手箱。ウ押戴《をしいたゞ》き〳〵。ハル立のかんと中する所ウへ。岩瀬はそれとウ見るよりも。
ハル長刀かい込色走出。詞ヤア盗賊め。其箱置ィていかぬか。左なくは生ケては帰さじと。地ハル身構《みがまへ》すれは。詞ノリハ、、、
老ぼれの刃物《はもの》ざんまい無用〳〵。玉手箱の義はしらぬ。最前うばひし此金子。盗ムではない暫ク借《しやくよう》用仕る。
地ハルヤア赦《ゆる》しはやらじとウ刃向《はむか》ふ長刀。踊《おどり》こへてしつか色ととらへ。詞ノリコレサかみ様ン合点の悪《わる》ひ。証文手形《しやうもんてがた》は胸に
書キ。心に納《おさ》めた此金子。借主請判《かりぬしうけはん》此しやつ頬《つら》。（24オ）お見知リなされてお貸《かし》なされと地ウ突《つき》放されてもハル女の

一念。逃ヵさじやらじとこむ長刀。引はづして踏落《ふみおと》せは。放さじ物ともみ合ッはづみ。包ほどけて五十両。ばらり〳〵と落散《おちちつ》て。星《ほし》か蛍《ほたる》か稲妻《いなづま》の。光リにつれていどみ合。あしらい兼てせんかたなく。腕首《うてくび》取て膝《ひざ》に引敷キ。傍《そば》に有合ッ窽舟《うつろぶね》。是幸とすつぽり打きせ。落たる長刀ひろい上ヶ。ごろたを時の燧石《ひうちいし》。こつちり三両。くはつちり五両。くはつちくはち〳〵くはち〳〵。五運《うん》は五行を恵《めぐむ》の気《き》。数《すう》に叶ひし五十両。ひろい集《あつめ》ておしつゝみ。見へつ隠レつ星《ほし》の夜の。しばしは曇《くも》る胸《むね》の月。おちかたしらす〽行水の。淵瀬《ふちせ》定《さだめ》ぬ。（24ウ）飛鳥川《あすか》。きのふ迄は若後家と名を春日野《かすかの》の片辺《かたほとり》に。遠《とを》き東《あづま》の名物《めいぶつ》を仕馴《しなれ》て。爰に信夫《しのぶ》摺《ずり》。染物師のお鈴とて十年《と、せ》余《あま》りの独居《ひとりゐ》が。俄ヵに似合《にやい》の入家を取帰《かへり》花さく笄《かうがいわけ》曲。近所《きんじよ》を呼ンで聟びろめ。何ぞといへは腹すかし。一はなかける権が嚊《か、》。ヲ、娘御。ひたし物のしんみりで。うか〳〵と茶を呑過キた。いつそ大ぶくにして下さんせ。茶碗ぐちかつていんで。こちの人に呑せふと。いへは傍から八がおば。ヲ、いやらし。達者《たつしや》な男持たと思ふて。其様に馳走せぬがよい。イヤこちの人より好もしいは爰の聟殿。

大からで太肉《ふとりじゝ》。何から何迄達者《たつしや》にあろと。いふにお鈴は気毒げに。サア聟大（25オ）海兵衛殿は。伏見の里に預ヶてある。荷《に》を取にいかれましたが。マア遅《おそ》ひ戻《もど》り様と見やる表へ。大海兵衛。着替《きがへ》の葛籠《つゞら》せたらおい。門《かど》口によつとはいるやいな。サア聟殿の荷か来たと。どつかりおろす上り口。サツテモ是は睟《すい》なしかた。自身に荷を持《もて》くるとは。よい手廻しと打笑へは。ホこりや皆けつくお隙ついやしでこんしよ。早ふ戻つて馳走せふと思ふたに。イヱ〳〵殿達《とのたち》のるすは気のはらいてよい物。其替りには鑵子《くはんす》と咄の底《そこ》たゝいたと。軽口《かるくち》とり〳〵立帰る。

お鈴は傍にさしよつて。イヤなふ大海兵衛殿。こな様がいつぞや洗濯物《せんだくもの》を。頼ミにござんしたが縁と成。互ィに後（25ウ）家《け》也鰥《やもめ》也。仲人《なかうど》なしの入聟。けふで六七日にも成ルけれど。毎夜〳〵寝酒《ねざけ》を呑《のん》では鱶《ふか》同前。帯紐《おびひも》といた事なけれは。わしや気がおかれてならぬはいな。ハテ娘もきいて居る。ちと指合も思やいの。夫婦の結《むす》びするからは。心をおきやるはそなたの誤《あやまり》。イヱ〳〵とゝ様。心おかしやんすはおまへも同じ事。日外《いつぞや》頼にごさんした洗濯物《せんだくもの》の染色。なんぼ垢付《あかづい》ても。地下《ちげ》の人の着物ではないによつて。様子を問ッたりや。御主人のお着物といはしやんしたじやないかへ。ヲ、それが又何ンとしたと。地ハル驚く気色にお鈴は色摺《すり》寄。詞サア其御主人のお名を聞た上では。娘が身の上も頼ふ計リに。地ウよい年《とし》してこな（26オ）様に。ハル色でしかけて夫婦色に成た。詞ム、して其子細は。サレハイナ。其時の洗濯物。表は白に裏《うら》は紅《くれない》。大内にて単《ひとへ》梅《むめ》と号《なづけ》し春の御衣《ぎよい》。其葛籠《つゞら》に入レて有ルなら。地ウま一度見せて下ハルさんせと。立かゝるを取て色突除《つきのけ》。詞コリヤ何とする。ハテ女房のわしが。明ヶて見るが何ンとしたへ。サア一せきに一つの葛籠。隠ヶしたい物も有ルはいの。イヱとゝ様。そふいはしやんす程猶見たいと。地ハル寄を見せじと色争《あらそ》ふ内。詞ヤアなつかしや桜木成ルか。地ウアレ葛籠の内に声のするはハル天皇様に色極つた。詞ヒヤア扨はお鈴が娘といつしは。桜木の女御様か。地ウ左は存ぜずしてウ心を置しと。ハル葛籠をひらけは色かくやくと。ウ天《あま》の磐戸《いはと》を日神《ひのかみ》の出ハルさせウ給ふ御粧《よそほ》ひ。コレハ（26ウ）夢かや嬉しやと。すがり給へはウお鈴が悦び。夫トは戸口にウ心を鏁《かけがね》フシしつかとしむれは。

女御はつく〴〵帝《みかど》のお姿打守り。君は皇子の計ラひにて窽《うつろ》舟に押《おし》入レられ。突《つき》流され給ひしと聞クに悲しさ。

最《も》早《はや》二たび逢イ見る事も成まいと。泣キくらせしに思ひの外カ大海兵衛にかくまはれ。お命恙《つゝが》なき其上に。

此ごとくお足の立ッは何ゆへと。お鈴も倶に。問イ奉れはヲ、旁《かたぐ》が不審《しん》は理《ことは》り。天の冥《みやう》慮《りよ》に叶ひしか大海兵衛に助ケられ。ふしぎに彼レが手に入リしとて龍宮《りうくう》の霊薬《れいやく》にて。宿 病《しゆくびやう》頓《とん》に平愈《へいゆ》して。伏見《ふしみ》の翁《おきな》が舎《いほり》に忍び居たりと。始メ終リの御ン物語リ聞クに女御も御身の上。語リつきせぬ（27オ）越方《こしかた》のつらさ嬉しさ取まぜて。やるせ涙の御かごと。勿体《もつたい》なくもいたはしし。

大海兵衛憚《はゞか》りなく。近 曽《さいつころ》丹後国《たんごのくに》を徘徊《はいくはい》し浦島太郎に出合イしゆへ。奉公《ほうこう》の望ミ有と偽《いつはつ》て屋敷へ入込ミ。はからすも金ン五十両を得たるゆへ。今日迄も安々と君をかくまい奉りしと。申せはいとゞ叡感《ゑいかん》有。けふ桜木に廻り逢イしも。汝が忠義の至りし所。しほらしきは鈴とやらん。いか成ル由縁《ゆかり》有ル者そと。尋させ給ふにそ。

はつと計リに会釈《ゑしやく》して。恐レながら私は。官女《くはんぢよ》藤の井が母。娘は女御様に成替り。皇子の御所へとらはれて参りしが。か丶る様子を伝へきかば。嘸悦ぶでござりませふと。身の悲しさをおし隠ク（27ウ）す。忠義の程ぞ健気《けなげ》なる。

か丶る折から所を廻る下役人。門トの戸けはしく打た丶き。コリヤ昼中《ひるなか》に戸を閉《さい》て何事じや。ヘヱ扨は入《いり》聟《む》とりやつたゆへ。夜ル昼ルなしに精出《せいだす》のかと。わめくにはつと仰天し。帝を奥へ入御《じゆぎよ》なし参らせ。さあらぬ体《てい》にて門トの戸明れは。コレ内義。けふ皇子様の御所より。桜木とやら。梅ノ木とやらいふ女御様が春日参リの帰りに。信夫摺《しのぶずり》の手業《てわざ》を。御見物《けんぶつ》にお立寄。其用意して待タつしやれ。今はや是へお出じやと。云捨《いひすて》いきせき帰りける。

女御涙にかきくれ給ひ。扨は藤の井が母のお鈴や自ラをしたひ。供の人目をしのぶ摺リの。手業を見よふとかこ付ケて。（28オ）爰へおじやるかいとしの人の心根や。ア、そんな事おつしやる所じやない。コレ大海兵衛殿。帝様のお身の上さとられて下さんすな。ヲ、合点。そなたは随分女御様の御事さとられなと。人に心を奥の間の障子引立入にける。

程なく表に備《そなへ》を立《たて》。八栗監物景連《やくりけんもつかげつら》。浦島六次大夫時久《ときひさ》。金鋲《きんびやう》きらめく乗物《のりもの》立テさせ。供奉《くぶ》の数多をかしこに退《しりぞ》け。此家《や》のあるじ出ませいと。聞よりお鈴は我子の顔。早ふ見たさに出迎《むか》へは。六次大夫きつと見て。

ム、儕レが染物師の鈴。次は娘じやな。聞キも及はん桜木の女御に。忝クも高岳《おか》ノ皇子御ン心をかけられ。様々とくどき給へ共承引《せういん》なきゆへ。預りの我レ々も（28ウ）難渋《なんじう》せし所に。今日春日詣《もふで》の帰るさ此所へ立寄リ。信夫摺《しのぶずり》の絹《きぬ》を染ムる手業《わざ》御見物有。其上にて色よき返事有べきとの御事なれは。早く染メて御目にかけよと有けれは。

ハ、ア遉《さすが》は雲《くも》の上人《うへびと》様。春日のゝ。若紫《わかむらさき》の摺衣《すりころも》。しのぶの乱レかぎりしられずの古歌の心を思し出されしな。幸ィけさほど染し絹。裏《うら》の干場《ほしば》の茂架《もがり》にかけ置キ候へは。先々あれを御覧有。其跡では娘とわたしが。

ウ

しのぶ摺込礁（すりこしきぬた）の手業お目にかけませふと。いはせも立ず監物。ヲ、皇子の御（み）

ハル　色　詞

心に随ひ給はねは。女御の

命（チ）も今日限（リ）。直（ス）爰で首を打ッ。そち達も其うき（29オ）めが見ともなくは。女御をくどき御得心（とくしん）させま

地ウ　ハル　上　ウ

せい。ア、心得ましてござりますと。二人は立寄乗物の。戸をおしひらけは藤の井が。なふ母様かおな

サハリ　ウ　詞

つかしや女御様と。いふもいはれず御顔を見る目も涙にくれながら。迎（とても）皇子のお心に従（したがは）ぬみづから。ど

色ウ　中

ふであの監物の。手にかゝつてしぬるであろ。

地色ウ　ウ　地中　上　ウ　ハル　中

此世の思ひ出にたつた一ト目成共。世をしのぶ摺（り）の親子が手業。見たいと思ふもみづからが兼々の願ひぞ

詞

其時には染物師のそち達迄。嘆きをかけるが悲しけれと。

クル　中フシ　ウ

やと。いへは女御も母親も。胸迄せぐる悲しさを。つゝむに余る涙をおさへ。人の噂にお（29ウ）まへの

ハル　地ウ　中

うきめを聞伝へ。おいたはしさはいか計（リ）せめてはしはしお心を。慰め給へと嘆きを隠（ク）し。先々裏の染場（うらそめば）

フシ

へと三人。打つれ入にける。

ハルフシ　地ウ　色　詞

かゝる折ふし。跡に控へし供廻り一同に騒ぎ立。女御様をばいとらんと。狼藉者（らうぜきもの）があれ〳〵是へ御用心有

へしと。追ィ々告《つげ》くる間もあらせず。笹田《さゝだ》左金吾国平獅子《くにひらしゝ》忿嗔《ふんじん》の其勢ひ。さゝゆる多勢を手玉のごとく打付ケ投付《なげつけ》はり飛し。翔《かけり》来つて大音上。先ン年某桜木の女御の御ン情によつて。助命《ちよめい》せられし恩報《おんほう》じ。ばい奉つて天皇の御在所《ざいしよ》尋御供する。とう〳〵女御を渡せよやつと呼はつたり。

八栗監物大キにいかり。物ないはせそ（30オ）家来共。かゝれ〳〵と六次諸共下知の下。抜《ぬき》連レ〳〵切てかゝる。シヤ。こざかしきうんざいめらと。縦横無塵《じうわうむぢん》になぎすへ打すへ当るを幸ィ切ちらし。逃クるをやらじと追て行。

音トに驚き染場より。藤の井誘《いざな》ひ母も女御も立出給ひ。見やる表へ左金吾が。弓手の脇《わき》に流レ矢の。痛手《いたで》にくるしみ立帰るを。ナフ我カ夫マかと藤の井が走リ寄て取すがれは。ヘツヱ口惜や女房。流レ矢に太腹《ふとばら》を射貫《ゐぬか》れたと。かなぐりとれは矢がら計リ南無三宝。鏑《やのね》は皮肉《ひにく》に残リしな。ヘツヱにつくき敵の仕業《しわざ》と心をあせれは。

女御も倶に御いたはり。母はせいしてコレ左金吾殿。娘が忠義を（30ウ）むげにして。色に引れてばいかへしにござつたか。未練《みれん》な心と恥しむれは。イヤ〳〵。全《まつた》く未練にあらず。融《とおる》ノ大臣《おとゞ》の仰を受ケ。猶も敵に誠の女御と。思はせん為の計略《けいりやく》。左はいひながら多勢に無勢。雨のごとき矢に当り。此手負と成たれは思ふ儘《まゝ》の働《はたら》きならず。無念〳〵と語れはお鈴はかんじ入。ヲ、其心底《しんてい》を聞ィて満足《まんぞく》。去ながらさのみ力ラを落トされな。大海兵衛といふてわらはが後連《のちづれ》。帝ト様をかくまひ置キ。けふ爰へ御供申されしと。咄の内に大海兵衛奥より出。聞及ぶ笹田左金吾殿とは貴殿よな。驚キ入たる天皇方の忠臣。矢疵《やきづ》の痛ミ保養《ほやう》あれ。（31オ）拙者こなたに成替つてア、是々。御辺は帝トの守護《しゆご》が大事。必是へ顔出し有ルな。アレ大勢が取てかへす早ふ奥へと気をいらち。女御も母も藤の井も。裏《うら》へ〳〵と追ィやつて。其身は有合フ染絹《そめきぬ》引さき。矢疵の口を。おしまき〳〵待所へ。

八栗監物浦島六次。多勢を引連レ東西より取ッてかへし。ヤア〳〵左金吾。速《すみやか》に女御を渡し。汝も皇子へ降参《かうさん》せよ。異義《ゐぎ》に及ぶと鏑《やさき》にかくるが何と〳〵と。地ハル大勢一同に鏃《やじり》揃《そろ》へ遁レフシ方なく見へにける。

地色ウ夫トの命危《あやう》しとハル藤の井は色転《まろ》び出。詞コレ〳〵旁。桜木は爰にゐる。必金吾に楚忽《そこつ》せまいぞ。ナフ国平。迚モ天皇様への忠義は叶はぬ。地ウよしない（31ウ）我《が》を張《はり》あたら命をハル捨んより。皇子方へ降参《かうさん》してウ命を助ってたも。

ウ兎《と》にも角《かく》にもウ任カせぬウ浮世の成行キやと。ハル嘆けは色左金吾心詞付。ハ、いかにも。女御様のお諌《いさめ》に随ひ。左金吾国平。今より皇子の御ン味方と。地ハルいはせも立ずイ色ヤア其手はくはぬ。詞併シ降参が誠ならは。今此監物が見る前ヱにて。女御をはくどきおとせ。イヤとよたとひ金吾がくどけはとて。帝様の御恩を忘れ。皇子になびく心はない。ム、左程迄思ひ詰メられし上にくどくも無益《むやく》。ナフ六次殿。いつそ此所で御首を給はらふか。いかにも〳〵。コレサ左金吾。皇子へ忠義の手始メに。女御の首を早く打《うて》。どうじや（32オ）うたぬか。討タねは金吾降参ンといふは偽りか。サアそれは。サア何ンと。地ハルサア〳〵〳〵とせり詰られ。左金吾はつと当惑《とうわく》の。ウ色目を色藤の井見詞て取て。コレなふ何れの道にも助らぬ。自が首打て。そなたの身の云訳たては。

地ウ死《しぬ》るわらはも本望ぞと。ハル健気《けなげ》な妻の諫メに金吾も恥色入て。詞然らは御両所の目通りにて。あの女御の御ン首う

ては。某が降参の云立に。成ル共〳〵急ィておうちやれ。ハツぜひに及ぬ。金輪際《こんりんざい》天皇方へ。忠義を立んと

存詰《ぞんじつめ》しに。地ウかく痛手《いたで》をおハルふたれは。所詮敵《しよせんてき》たふ事思ひもよらず。正真《しやうじん》ウの君を思ふ色も身を思ふ。詞いたはし

ながら女御様。（32ウ）金吾。地ハル思へ上はかない夫婦の縁と。いはぬ計リに顔見ウ合せスヱテ泣カぬ思ひぞせつなけれ。

地色中斯クとウ見るより桜木の女御諸共母親ハルは。打しほれ立出て。娘の色前に手をつか詞へ。おいたはしやもふおまへ

は殺され給ふ御覚悟《かくご》か。ア、是おすゞ親子の衆。此桜木が身の上を。由縁《ゆかり》もなきに其様に嘆ひてたもつて。

もしや身の難義になれは黄泉《よみぢ》の障《さはり》。必とゞめてたもんなや。ヲ、其様にあきらめ給ふ上からは。何しにお

とゞめ申べし。去ながら思ひがけなふ。此家へお入なされての御最期《さいご》。一ト入おいたはしふ存ますれは。

地中せめてお望ミハル遊はした。（33オ）信夫摺《しのぶずり》の碪《きぬた》が打て。お心ウがなくさめたふござりますと。ウいふも娘が魂《たま》の緒《を》

の。フシ露の間おしむ願ひ也。

六次大夫あざ笑ひ。ハヽヽヽ今首きらるゝ期《ご》に成ッて。碪が何ンの慰《なぐさみ》に成べきぞ。いやとよ旁《かたぐ》。しのぶ摺込ム親子が手業を見る内に。自も此世の名残リ。一首の歌を読《よみ》残し。せめては是迄色々とくどかせ給ふ皇子様へ。お侘《わび》の為の置みやげと。思ひ入て願ふにぞ。

邪見《じやけん》の監物六次大夫も詞を和らげ。主君皇子へ贈《おく》らるゝ御ン歌とあらは。猶予《ゆうよ》せずんば有べからず。それ〳〵家来共。御乗物の料紙《りやうし》硯《すゞり》を参らせよと下知すれは。（33ウ）母は嘆きをしのぶ摺リ思ひの涙まきこめて。君諸共に碪の用意。藤の井は墨《すみ》すりながし。此春日野の。其むかし。信夫摺リの絹に歌を書キおくりしためしもあんなれは。此信夫摺に書残す言《こと》の葉を皇子の御所へ送つてたべと涙ながらに筆しめし。今はのうさをよむ歌も哀催《もよを》すたそかれの。鐘も碪に。音添イて。うつに〳〵其かひ夏衣《なつごろも》。うすき契りの悲しやと。見やり見かへす顔と顔。親子夫婦が身の上をつ。ゝむにつらき縁の糸。胸にもつれて藤の井も金吾も人目忍び音《ね》に。（34オ）さしうつむけは母親も。女御も胸にせぐりくる。涙まぎらす小夜碪《さよきぬた》。月のみ。空に。

フシ
さへぬらん。
地色ハル
左金吾もや丶耳を色すまし。詞誠に碪の音トを聞クに付て。夫《つま》を乞《こふ》る昔《むかし》を思へは。唐士《もろこし》の蘇武《そぶ》が胡国《ここく》へ捨られし
時。古郷の妻子《つまこ》。夜寒《よさむ》の寝覚《ねざめ》を思ひやり。高楼《かうろう》にのぼつて碪を打しに。其志《こゝろざし》の通《つう》じけるか。万里《ばんり》を隔《へだて》し
蘇武が配所《はいしよ》へ。古郷の碪聞へし例《ためし》。地ハル是はそれには引か中へて。ウ人目に万里をハルへだつるウ碪。ナフ唐士人さへ其
様に。夫婦の別レは悲しむ物。中ましてやあきもあかれもせぬいとしかはいひ我ハル夫マの。色サア中帝ハル様に引別れ。
さきだつ（34ウ）上つらさ悲しさを。推量《すいりやう》してと藤の井がわつと計に。中ふししづむ。地色ハル女御も碪色打すさみ。詞ナ
フ其お嘆きを。聞ケは聞クほど母様の。心の中チを思ひやる。コレ娘。イヤ是娘。ぐちな何をいやるぞいの。
花の盛《さかり》をちらすのじや物。他人の身でも悲しうなふて何とせふと。地ハル見ぬふりしたるウ目に涙。じつとおさへ
ウて忍ぶ摺リ。中フシ碪のハル絹もしめるらん。
地色ウ
物の哀を弁《わきま》へぬ六ハル次大色夫がとがり声。詞ヤアかけも構《かまは》ぬ女御の身の上。そち達が悔《くや》み嘆くは勿体《もつたい》なし。き

り〱と砧を打チ。信夫摺を仕上ケて御目にかけよ。サア女御様。お歌を早く遊はせと。するどき詞に（35オ）取直《なを》す。砧の槌《つち》の。手もたゆく。ふけ行ク虫の哀げに。なみだいやます乱レ打しどろもどろに〽うつゝなき。時刻《じこく》うつれは監物声かけ。お歌が出来た左金吾と。いふにぜひなく太刀ふり上。南無あみだ仏の声諸共首は前にぞ落にける。ワツト計リに母女御。覚悟しながら今更に。あへなき死骸に取付イて絶《たへ》入リ。消《きへ》入リ泣さけぶ。

やがて用意の首桶《くびおけ》に首取納《おさ》め監物が。たづさへもては六次大夫。件《くだん》の絹にすさみたる辞世《じせい》はいかにとひつとつて。砧うつ。音トに此世の夢覚《さめ》て。涙は袖の露とちりぬる。ハレけなげにも（35ウ）遊はしたり。ヤア金吾。矢疵快気《くはいき》の上都へお来《き》やれ。皇子の御前はよろしく我々沙汰すべし。お鈴親子も太義〱としたり顔。家来引つれ両使《し》は都へ立帰る。

女御も母も絶兼《たへかね》て。首なき死骸にすがり付前後ふかくに嘆きしが。六年以前に殺されしと思ひし娘に。いつぞや融様のお館《タ》で。逢《ッ》た時の嬉しさは。思へは夢か現《うつゝ》かや。けふ死《ヌ》る覚悟で暇ごひに来た物を。親子一世の名残も惜《をし》まずかゝる最期《さいご》の不便《ン》やと。正体涙にむせかへれは。皆我《レ》ゆへに苦《く》を見すると。かこち嘆かせ給ふにぞ。左（36オ）金吾も目を泣はらし。コリヤ女房。そちが死だばつかりに。女御様のお身の上。最早敵の咎《メ》はない。忠義の為とはいひながら夫《ト》が手にかけ殺すとは。なんたる前世の悪縁ぞと。わつとさけびし男泣《キ》。思ひは同じ三人《リ》が涙。木津《きづ》と吉野《よしの》と初瀬川《はつせがは》。一つにながるゝごとく也。折から奥より大海兵衛。出御《しゆつぎよ》也とよばゝれは。亡骸《なきから》隠《かく》し席《せき》をきよめ恐れ。敬《うやま》ひ奉る。帝御声くもらせ給ひ。藤の井が不便の最期。母や夫が嘆きの程を思ひやると。御衣をしぼらせ給ふにぞ。大海兵衛も目を（36ウ）しはたゝき。最前首を討るゝ時。今や出て助ふ。親と名乗《ッ》て出よふかと。心はちゞにくるしめ共。一天の君を守護《しゆご》し奉る此身。もしや敵に見咎《メ》られては叶はしと。じつとこたへて見殺しにせし心の内は。はらわたをたつ猿《さる》よりも増つて悲しかりつるぞと。こたへ兼たるどか涙。おのが名によぶ大海を手でせきとむる心地也。

地色中お鈴はやう〳〵顔 ハル色ふり上。詞わらはが前ヘの連合ィは。先年皇子の御謀反に組し。亡びたる藤原ノ仲成。忘《わすれ》形見《がたみ》の兄に藤丸。妹に藤の井。十と五つになる兄弟の子をつれて。此母がうき艱難《かんなん》。氏を隠して（37オ）妹は。大内へ宮仕へに出して今の身の上。兄は武者修行《むしやしゆぎやう》とて。廿《はたち》の年シより行衛しれず。地ウあはれ娘が忠義に免ンじ。ハル夫トが朝敵《てうてき》の罪《つみ》をゆるして給はれと。スヱテ涙と倶に奏《そう》すれは。中帝叡感《ゑいかん》色浅からず。詞ヲ、妻マや娘が等閑《なをざり》ならぬ忠節。仲成が朝敵の罪いかで赦《ゆる》さで有べきぞと。地ウいとも賢《かしこ》きハルみことのり。ア、ウ有難や最早此ウ世に思ひおく事少シもなし。未来の夫トウへことづま重《かさね》し云訳せんと。有合ッ刃物《はもの》ぬき取ルを大海兵衛色しつかとおさへ。詞女房去た縁切た。今より汝は尼《あま》と成。娘や夫トがぼだいを（37ウ）とへと。地ウいひつ、お鈴がハルかうがいわげ。切て投出す色輪廻《りんゑ》のきづな。ア、ハル情あウる大海兵衛がはからひとフシ御感《ぎよかん》の涙せきあへず。

地ハル左金色吾つ、立。ウとかくいふ間に時うつる。ハル両 御《りやうご》所《しよ》一所に渡らせ給ひては敵の咎《とが》めも色恐れ有。詞いかにもく〱。此大海兵衛は帝を供奉し。一ト先丹州に立こへ。忍び〱に軍勢催促《ぐんぜいさいそく》。ホ、金吾も女御の御供して。本国泉州《せんしう》に立帰り。朝恩《てうをん》深き諸士をかたらひ不日《じつ》に御辺へ通路《つうろ》せん。先ッそれ迄はさらば〱。さらば〱と二タ方の。御手をとつて。引別るれは。コレなふしばし我カ君（38オ）とすがりつきせぬ御名残。母は娘がなきからいだき。大海兵衛か後影《うしろかげ》。見おくり。〱ついに枕《まくら》はかはさねと。仮《かり》にも妻《つま》よ夫《おつと》よと いひしも今の別れの数名残。かず〱おほけなく。雲井のはなもしづが家《や》にしはしは埋《むも》れ。さくら木の花は八重《やゑ》さく奈良坂《ならざか》や。先キだつ娘がぼだいの祈《いのり》むすぶ。いほりも藤の井が。名にゆかりある春日野のわかむらさきの尼《あま》が辻《つじ》。古跡《こせき》を今にのこしをくなみだの。たねとや成ぬらん（38ウ）

第三

地中天の威顔《ゐかんばせ》に有ル事ウ咫尺《せき》といへ共。ウ自《みづから》畏《おそれ》ざる時は凶邪《けうじや》其身を侵《おかす》とかや。ハル理を弁へぬ高岳《おか》ノウ皇子六次大夫が勧《すゝめ》により。ウ天皇を窽舟《うつろぶね》にて波濤《はとう》にウ流し奉リ。おして位ィに色即《つき》ながら。任せぬ物は桜木の女御をしたふハル恋病ミに。褥《しとね》離《はなれ》ぬ肘枕《ひぢまくら》フシ打ふし給ふぞ只ならね。

地色中時しも河原《かはら》ノ左大臣。ウ源ノ融《とほる》公参内あれは。ハル皇子むつく色と枕を上ケ。詞ホ、丸が病気を見舞よな。心をかけし桜木ノ女御。なびかざるゆへ心気をいため。日に三度夜に三度。時をたがへず大熱《だいねつ》におかさるゝと。地ハルの給へ色はあざ笑ひ。詞今一天下を（39オ）掌握《しやうあく》あれば。美女《びぢよ》も艶女《ゑんぢよ》も時の間にも自由《じゆう》な事。地色ウなんぞや道なき恋に御心をかけウ給ふはちいさしく〵。ハル早く御行跡《かうせき》を改め給はゝウ御病気も平愈《ゆ》し。ウ御代《みよ》長久の基《もとひ》たらんとウ一言《げん》四海を覆《おほ》ふの詞。さしもの皇子も返答《へんたう》なくさしうつ。むいておはします。
折こそあれ南都《なんと》より立帰る。八栗監物景連《やくりけんもつかげつら》。浦島六次大夫時久御前に畏《かしこま》り。此度桜木ノ女御春日詣《かすがまふで》の帰る
さ。彼ノ辺より程近き所に。信夫摺《しのふずり》の染物師有しを御覧有度とて。我々守護《しゆご》し参る折から。笹田左金吾国
平。女御を奪《うばひ》とらんと窺ひ寄しが。金吾めも我々に敵対《てきたい》叶はぬと思ひしにや。即時《そくじ》に降参《かうさん》仕れ共。とかく
女御はなびき給ふ気色なければ。（39ウ）幸ィ笹田が心を引見る為。申付て御首討せ候と。首桶《くびおけ》のふた押ひ
らき。扨此絹《きぬ》は最期《さいご》の砌リ。女御の御歌を書れし信夫摺《しのぶずり》にて候と。聞もあへず皇子遥《はるか》にながめやり。落涙《らくるい》
あれは融ノ大臣《おとゞ》。扨は不便や藤の井が御身替りに死たるかと。心に深く感《かん》ぜらる。
皇子は巻絹《まきぎぬ》取上て。ヤア大臣。其方が詠《よみ》置れし。陸奥のしのぶもぢ摺の歌の心に引かへ。我恋人の筆の跡。
砧《きぬた》打ッ。おとに此世の夢さめて。涙は袖の露と散《ちり》ぬる。実《けに》誠ちれはや花の桜木が。つれなき死顔見るも恨
めし腹立やと。肌《はたへ》は忽熱気《ねつき》のなやみ。大臣枕に立寄給ひ。アラ正体なき御有様。かゝるけやけき女御の髑《どく》

髏《ろ》片時も御前（40オ）に叶ふまじヤア〳〵監物。地ウ汝は嵯峨野《さがの》へ持参して。ハルよきに葬《ほうむ》り帰るべし。フシ早と
く〳〵と退出《たいしゆつ》させ。
詞君の御病気恋煩《わづらい》とは偽り。地ウ包マず仰聞らるべしと。ハル未然《みぜん》に察する詞ウにほく〳〵色打點《うなづ》き。詞ホ、推量の上は何
かつゝまん。我病症《びやうしやう》は医書《いしよ》に所謂《いはゆる》。蛇眼病《じやがんびやう》といふ物にて世に稀《まれ》成ル難ン病。他言は無用能見られよと。地ウ三
重に包し鉢巻《はちまき》をとき捨給へはウ霊々《れい〳〵》たる。眉間《みけん》に一つのハル蛇《じや》の眼《まなこ》。フシかくやくとして冷《すさまじ》し。
ハル大臣動《どう》色ずる気色なく。詞御病症慥に疔瘡《ちやうさう》の類ひと定がたし其ゆへは。君御出家を落させ給ふ仏ッ罰チ。彼真ン
言にたつとむ所の青龍権現《しやうりうごんげん》の咎。其上過し比勿体なくも天皇を。窾舟《うつろぶね》にて流し給へは海ィ龍神の祟《たゝり》也。
生キながら（40ウ）三熱《ねつ》のくるしみを受。地色ウ終には業火《ごうくは》に御身を亡し給はん事ウ疑なし。ハル恐る色べし〳〵。詞唐《もろこし》
漢《かん》の太公は。照魔鏡《しやうまきやう》といへる鏡《かゞみ》を以て。魔術《ましゆつ》を照《てら》せし例も有。元より神国天照神の御影《み》をうつすなる。
地ウ八咫《やた》の鏡に御身をうウつし疑をはれ給へと。ハル神鏡《しんきやう》の覆を取てさし向給へは。コハリ下鏡にうつれる王子のウ形チ三の眼《まなこ》

は赤酸醤《あかかゞち》。かぼくのことき角生立《つのおひたち》惣身に逆立鱗《さかだつうろこ》をならせは。六次大夫は絶入《たへ》計。皇子は我レと我影に。始《はじめ》て驚く気色にて忙。果て見へけれは。

大臣は神鏡取納め。かゝる奇瑞《きずい》を見給へは御疑ひはなき筈。往昔《そのかみ》日本武《やまとだけ》の尊《みこと》。風波《ふうは》の難に逢給ふ時。海龍神を鎮《しつめ》ん為橘姫海に飛入。我身を以て牲《いけにへ》に供《そな》へ（41オ）給へは。忽チ波風治りて尊の命助かり給ふ例《ためし》有。

蒼海《わたづみ》の神は学海波中《がくがいはちう》の老龍《らう》とあれは。六十有余《ゆうよ》の老人《らうじん》を。人身御供《ひとみごくう》にそなへ給へと有けれは。ホ、それは幸々。おち帝を窾《うつろ》舟にて流したるも。あれ成浦島六次大夫が勧《すゝめ》なれは第一の科人《とがにん》。年ばいも六十前後。かれを牲《いけにへ》に海へ沈《しづめ》んと。聞よりはつと六次大夫はふるひ声。ア、申ひよんな事おつしやります。私は見かけと違ひずんと年は参りませぬ。漸《やう〳〵》当年三十九。ほんの世話にもいふ通り。四十じや〳〵と思ふたは違ひ。三十九じや物花しや物。あたまと髭《ひげ》にちら〳〵と白ふ見ゆるは若頭《わかしらが》。とにもかくにも御赦《ゆる》されて下さりませと。色真青《まつさを》に身の毛を（41ウ）立歯《は》の根も合ずふるひ出す。

詞ヤア比興奴《ひけうやつ》。儕《おのれ》先達て身命《しんみやう》を抛《なげうち》。丸に忠義をつくさんと広言《くはうげん》はきしは何の為。否《いや》でも応《あう》でも人身御供《ごくう》に立おらふと。地ハル怒《いかり》の胴声《とうごへ》身にこたへ。ウいとゞびく〳〵気を色ひやせは大臣声かけコリヤ〳〵六次。詞迚遁《とてものがれ》ぬ牲。皇子の御為と誠を以てたゞば。龍神も憐《あはれみ》給ひ地ウ助かる事も中有べし。詞ア、成程〳〵君の為に惜《おしま》ぬ命。身を清めて潔《いさぎよ》く。地ウ人身御供に立申さんと。ハル口にはいへど心はあぶ〳〵胴《どう》ぶるひ。中フシ御前を立て入にけり。

地ハル取次の役人罷出。色詞花熊先生《ぐまぜんじやう》が名代として。女房浮橋お召によつて参上と。ハルフシ告る間程なく。中裲《うちかけ》の。ウ姿の立木若々とウキン出立ばへよき。ハル取形リも中キンおめず臆《おく》せずのし〳〵ウヲクリとおばしま。ちかくウ畏《かしこま》り。（42オ）しとやかにフシ手をつかへ。

詞今日夫先生召出さるゝ所。此程身のいたはりに付恐ながら名代として。わたしをさし越ましてござりますと。地ハル聞より王子ゐ色だけだかに成。詞ム、扨は花熊が妻女《さいぢよ》よな。夫を招きしは余の義にあらず。汝が娘求のまへ。雲井迄も美人の聞へあんなれは。地ウ後宮へ招《まね》かん為召よせたりとの給へは。ハル浮橋はつと色額《ひたい》をさげ。詞数ならぬ娘を冥《みやう》加に叶ひし君の仰。身に余り有難けれ共。七年以前笹田左金吾に云号《いひなづけ》致し置しが。其頃金吾は在京大内にて官女と不義有し科により。死罪にあはれし由承りしゆへ。其後生田《いくた》の神職《しんしよく》。千《ち》努権頭の子息。呉羽《くれは》之介に又云号せし所に。彼左金吾は女御の情（42ウ）に命助り。則それにござります融様の御領《りやう》。陸奥にくだり此度立帰られましたに付。双方《さうはう》より聟に成ふ求《もとめ》と夫婦にしてくれいと日々の催促《さいそく》。夫も

地ハル　ウ　ウ　色　詞

是に当惑《とうわく》して居ますれは。はつとお受も申されずと。あぐむ目色を見て取て。コリヤ〳〵女其義は兼て聞及。笹田左金吾は桜木ノ女御を討て。丸に忠義を顕《あらは》せは別心《べつしん》なき事明白《めいはく》。まつた呉羽之介は。此皇子がし

地ウ

たしき権ノ頭が紛なれは気遣なし。いづれへ成共早く娶《めとる》か。もしも両人が云号の前後を争《あらそ》は丶。其時は丸

ハル　ウ　詞

が望に任せよと。道なき詞も時の権威《けんい》。ア、立帰て其よしを。夫に申聞せなは。千努笹田を呼よせ。娘が

地ハル　フシ

縁組どちらへ成リと。取急る丶でごさり（43オ）ませふと。おめる色なく申スにぞ。

地ハル　色　詞

融ノ大臣す丶み出。我君無体に求の前を召る丶にはあらず。早く千努笹田の両人を招《まね》き。双方の相対《あいたい》を以

て事穏便《おんびん》に取はからへ。ナ合点かとの給へは。ハットお受も有難き詞をつゝむ裲《うちかけ》の裾《すそ》をひかせて立帰る。時も移《うつ》さず禁門《きんもん》の御番あはたゝしく罷出。只今浦島六次大夫早馬に鞭《むち》を打。我君の御ン使によつて東国へ急クと中御門をかけ出候と。聞より皇子くはつとせき上。扨はきやつ人身御供に立ッ事。命惜《おし》さに逃《にげ》たるに疑ひなし。程は行まいぼつかけて連レ来れと。面色《めんしよく》筋をいらゝげ給へは大臣暫とおしとゞめ。得心《とくしん》なき六次大夫。龍神に捧《さゝけ》て益《あき》なし外を詮議し。然べき者牲《いけにへ》に供《そな》へんと。（43ウ）せいし給へはヤア手ぬるし〳〵何にもせよ。丸を偽る比興《ひけう》やつ得心せずは追かけて搦《からめ》とれ。ぬかるな者共急やつと。荒《あれ》に荒たる皇子の勢ひ。是や上見ぬ鷲鷹《わしくまたか》。羽うつて上る万里《ばんり》の空。雲をつんさく蛟龍《かうりやう》の。腮《あぎと》をふるふごとくにて。歩《あゆみ》の板をどう〳〵。どろ〳〵どつと踏《ふみ》ならし。猛威《もうい》はげしき其有様。すさまじかりける

秋毎《こと》に。生田《いくた》の森の。栬葉《もみぢば》は。とはれんとてや色ますと。大宮人のよみおきし。歌の心も名にしおふ。ながめ涼しき川水の流も。清き神いさめ長月廿日の祭礼《さいれい》も。早きのふけふ後宴《こうゑん》のぬさ奉るねぎご

とや。参下向の袖袂綺羅《きら》を。みがきし其中に。一際《きは》目だつ水鳥の。絵幕《ゑまく》の内になまめくは（44オ）菟原《うばら》の郡に隠なき。花熊先生兼之《かねゆき》が妻の浮橋《うきはし》。独娘に求とて品形より心ばへ。ならぶ方なき寵愛《てうあい》に附々迄も目習ふていとゞはへある花くらべ。木々の錦《にしき》もはぢかへて色を。失《うしな》ふ風情也。

外珍《そとめづ》らしき妼共。往来《ゆきゝ》の人にゆびざして。よしあしいふも慰《なぐさみ》の。あだ口々にざはめけは。倶に心も浮橋が。娘を連て幕《まく》より立出。ナントよい気色でないか。種々《しゆぐ》の栬《もみぢ》に短冊《たんじやう》も数多《あまた》。川の流にうつりしは龍田高《たか》雄《を》も中〳〵及はず。取分今年《ことし》は枝葉もしげり。一入のながめ成に。なぜに求はうき〳〵しやらぬ。夫先生殿は嘉例《かれい》なれは生田の社《やしろ》へ参詣《さんけい》。今にも下向なされたら。よい事と誉《ほめ》はなされまい（44ウ）と。母のいさめに妼《こしもと》共。イヤありや其筈の事。ハテあなたのお年《とし》に漸《やう〳〵》三つ四つ。違ふたおまへは先生様といふ殿様があれは。何に不自由《じゆう》な事もなふ。面白ふおくらしなされど。我レも人も十六七。よい時分《じぶん》に成て相手のないはどこ共なしにむしやくしやと。気の悪《わる》い物じやげな。そこらは親御様の気転《きてん》に有事。早ふ聟様お極めなされ。はづみ切ッた姫君へ入レなされたらよからふと。いふに求も片頬《かたほ》で笑ひ。人の心もしらいで。云《いひ》号《なづけ》の呉羽《くれは》様と。つい祝言《しうげん》が成ル事なら。何案じる事はない。ムウ聞へた。此春より家出有し呉羽之介殿の事を。とやかく思ふての事かいの。心一つで捌《さばけ》ぬ品があらは必母に隠《かく》しやんな。

ア、有難ひ。其お詞を聞クからは何を隠さふ。わたしや（45オ）呉羽之介様についちよつと。ふとした事てといひ兼《かね》れはヱ、もどかし。呉羽殿についちよつと計リ。いふては済マぬどうじやいの。サレハイナ。はづかしい。事ながら。過し弥生《やよい》の十八日。明石の人丸塚《づか》へ参りし折から。呉羽様に出合ィ大蔵谷《おゝくらだに》の茶屋が床《とこ》。ついいふ事も親の赦《ゆる》せし夫結《つまむすひ》と。互ィに心とけ合て仮寝《かりね》の枕《まくら》を。ヤ、、何ンといやる。呉羽殿に枕かはした。テモ扨も油断のならぬ。と叱《しかるはづ》　筈の所なれと。爺御《てゝご》の手前は此母が誤《あやまり》にしてすます。此間から左金吾殿に縁切て下されと。内証《ないしやう》で頼ンでやつたりや。よもや了簡のない事は有ルまい。是に付ケても。心にかゝるは皇子様の御所へ行し時。いづれへ成共聟を早く極《きは》めよとの云付。けふ（45ウ）爰へ艶《もみぢ》　見物にく

るのに。白無垢綿帽子《むくわたぼうし》を持《タ》せよと夫《ト》の云付。思ひ合せはどうやら此所で。祝言《しうげん》の義式《ぎしき》取結ぶ催《もよを》し。サア

わたしもそれが気遣《イ》。と、様《ン》はかふした様子御存《シ》なければ。金吾様に娶《めあはす》とおつしやつたら何《ン》とせふ。

地ウ どうぞおまへのはからひでけふの催しいひけして。呉羽様を尋出し早ふ添して下さんせと。いふも一《チ》途《づ》

に思ひ込《ム》。わりなき風情ぞ恋路なる。

地色ウ 時しも生田の社より下向を急ぐ花熊先生。二張掛《がけ》の大靫《うつぼ》を家来寸斗平《ずんどへい》に取持《タ》せ。幕際《まくきわ》ちかくさしよりて。

詞 此間左金吾方より。先約《せんやく》なれは娘求を呼《ヒ》むかへんと。せき〳〵申越《ス》所。今日某生田明神へ参詣の折から。

神職《しんしよく》権《ノ》頭にきけは。家出せし呉羽之介二《タ》たび屋形へ帰りし（46オ）ゆへ。急に婚礼《こんれい》取結《ヒ》たきとの催促《さいそく》。

殊更皇子の云付黙止《もだし》がたきによつて。双方共此所にて面談《めんだん》の上。いづれへ成共極めんと。左金吾へも其旨《むね》

申遣したるが。一人《リ》の娘に二人《リ》の聟。さし当つて思案も出ず。そち達はどう思ふと。尋る内も屈託《くつたく》の。

中フシ 胸《むね》に手をおく計也。

求は何の弁へもなふ嬉しや母様。呉羽様が親御の内へ戻つてござるといな。早ふお顔が。ア、是々。親の心もしらいでつか〳〵と言《ものいや》んな。此母は今の咄《はなし》を聞ィてほつと当惑《とうわく》なぜといや。そなた一人リに聟二人リどちらへ極まる事じややら。ひよつと金吾殿に成たらは迷惑《めいわく》で有ふがの。アイわしやなんぼでも。金吾様に添《そふ》気はないと。いは（46ウ）せも立ず先生いかつて。ヤアそりや何ゆへ。子細ぬかせとねめ付れは。浮橋ひつ取コレ〳〵申。娘に科《とが》はござんせぬ。此母が取持て。呉羽殿に枕《まくら》をかはさせたれば。金吾の方へは変替《へんがへ》して。ナ、、、何ッとじや。そちが取持て。呉羽に枕をかはさせたとは言語《ごんご》道断。誠に人の氏素《うぢす》性《じやう》程はづかしい物はない。儕レは元ト先妻《せんさい》が召使ィなれ共。一人リの娘を養育《やういく》させせん為。引上ケて母と敬《うやまは》すれは。栄耀《ゑよう》にほこつて恩を忘れ。此先生が義理をかき娘に不義をすゝめしなあ。打放すやつなれ共縁を切ッてぼいまくる。ヤイ寸斗平。そやつを引立いと。いふに恟《びつく》り求の前。お腹立チは尤ながら母様に科はない。寸斗平のしりやる通り呉羽様に逢ィましたは。（47オ）人丸塚《づか》へ参りし時心一つでした事なれば。自が身はいとはぬ。追出されふが殺されふがお恨ミとは思ひませぬ。誤《あやまり》もない母様をどうよくな事計リ。おまへもなぜに云訳して。科を遁《のが》れて下さんせぬ。とゝ様赦して〱とすがり嘆けはコレ〱娘訳《わけ》もない。其様に此母を。かばやる程そなたのなんぎ。サア先生様。二人リの聟達へ。云訳立る御思案の底《そこ》が聞たい。ソリヤしれた事。娘を殺し千努《ちぬ》笹田《さゝだ》。両人の聟へ云訳にするはい。ソレ〱〱。そふと思ひしゆへ最前から胸は板。云訳立ふが立まいが娘はいつかな殺さしやせぬと。身を押隔《おしへだて》泣侘《わぶ》れば。

コレ母様。わしが死で父上の。云訳が立ッ事なら。何ンの命がおしからん。（47ウ）お手にかゝつて潔《いさぎよ》ふ死なふとは思へ共。わしや呉羽様に心が引るゝ名残が惜《おし》ひ。親御の内へお帰りなさつてござるときけば。たつた一ト目お顔が見たい。未来迄も夫婦ぞと。堅《かたふ》約束《やくそく》してしねは。こゝろも残らず迷ィもない。どうぞ逢せて下さんせ。親のお慈悲じや情じやと。覚悟《かくご》きはめし身の願ひ哀に。も又いぢらしし。

ヤア未練なめらうめ。其性根では潔《いさぎよ》く。首さしのべては討タれまい。くゝし上て首はぬると。髃《かたさき》摑《つかん》で引寄れは。ナフ是待てと浮橋が。すがり付クを取て突のけ。ヱ、めんどうな。連レてた、ぬか寸斗平。女子共も残らず帰れ。さあ〳〵うせふと引立て。幕の内に入ければ。

つゞいてかけ行（48オ）浮橋を。寸斗平おしとゞめ。爰は一ト先お帰りなされ。イヤ〳〵とめな。なんぼ爺御《てゝご》のかうけでも娘求は殺《ころ》させぬ。いやじや〳〵は邪々馬《じや〴〵むま》様。奴《やつこ》がとめたりややらない〳〵。ずんどやらないごはりませと引立〳〵てこそ急行。

か丶る所へ先走リの歩行《かち》の者。笹田左金吾国平《くにひら》参上としらすれは。花熊先生幕《まく》の内より出向ひ。コレハ〳〵金吾殿。御病中とは存シながら。おして使イを参らせしに早速《さつそく》のお出。イヤもふ日を追ッての拙者が重病《ぢうひやう》。一ト足も引れざる所に。こなたのお使イに力を得。乗物はつらせたれ共あゆんで参上いたしたが。どうやら息切《いきぎれ》が仕る。御免ンなされて下されと。刀を杖《つへ》につき〳〵が。薬リよ水よと立よれは。（48ウ）ア、こりや〳〵何をざはつく。汝等は小野坂《おのざか》の草堂《さうだう》へ行て休息《きうそく》せよ。早く行ケと追イやれは先生兼之《かねゆき》。コレサ気を慥《たしか》に持タれよ。御主人の御用にたゝねはならぬ命。地ウ心持チはどうじや〳〵と。ハル腰《こし》なる印籠《いんろう》色取出し。詞コレ。是でそつちの心底《しんてい》を問薬《とひぐすり》。功能《こうのう》は印籠の。蒔絵《まきゑ》にとくと気を付ケられよと。地左金吾がフシ手に渡せは。詞ハ、ア見事成ル桜の蒔絵。是は先生殿の御秘蔵《ひさう》と相見へましたが。当時高岳《おか》ノ皇子には何によらず。桜木の模様《もやう》をお好み。もし時の権威《けんゐ》を以《もつ》て望ミ給はゝ。指上《さし》らるゝ心かなと。地ハル尋れは色目に角立《かどたて》。詞ヤアラ金吾の詞共覚ぬ。たとへ王子のいか程に望まるれはとて。さし上そふな先生が性根と見られたか。ハ、（49オ）其御所存を承り安堵《あんど》致ィてござる。去ながら。御息女求殿と此金吾。祝言《しうげん》の盃して。一家の結びを仕つた上でなければ。御秘蔵とおつしやつても桜木の此印籠。一重《いちぢう》。〳〵の底《そこ》がひらいてたべにくい。ハテ薬リ違ィはない程に。其遠慮《ゑんりよ》は無用〳〵。ム、然らは又何故に。求と拙者が祝言を延引なさるゝ。サレハサ。今更違変《いへん》申スも気の毒ながら。娘求はこなたの妻にしんぜられぬ。ソ、それは何ゆへと。地ハルしさつて尋るフシ折こそあれ。

［地色ウ］戻りかゝ［ウ］る寸斗［ハル］平。先［色］生見るより。［詞］ホ、よい所へ帰つた。イヤ金吾殿。求を其元の妻に遣されぬと申す訳
親の口からもいひにくい。其証拠《しやうこ》は此奴め。金吾殿の目通りへ出て真直《まつすぐ》に（49ウ）いへさ。ナアイ。さ
あ〳〵どうじやと金吾がいらては。ナイ〳〵［地ウ］と寸斗平。［ハル］髭《ひげ》もみ上てか［色］つつくばい。［詞］求様をおまへの方
へしんぜにくいと。お旦那の御意なさる其訳は。此寸斗平めがずんど存て罷有ます。ハ、ア比はいつやら。
ヲ、それよ。過し三月十八日。人丸塚の御縁日。求様のお供して参る道筋。いつにすぐれて人群集《くんしゆ》。神前《しんぜん》
近く成所に。深編笠着《ふかあみがさき》た侍ィが。おいどをちよびとほでてんがう。につくいやつと覗《のぞい》て見れは呉羽様。是
はとたまげておる内に。人に紛《まぎれ》て見失《うしなつ》たが。求様はうつぼれ神が付ィたやら。どうぞ逢せてくれないかと
此奴めに手摺《てすり》たいぼう。振《ふり》がゝりの色ではなし。云号の中ヵといひ娘御の事だから。衆道《しゆだう》（50オ）と違《ちが》つ
て尻《しり》のくる気遣ィない。逢せませふと爰かしこ。うそ。〳〵とさがす内。大蔵谷《おゝくらだに》の茶屋で見付ヶ。つゝかけ
て膝《ひざ》もとにべつたりずんど腰かけさせ。見ぬふりで見申せば。向ふ鹿には矢がたゝぬと。互ィにもぢ〳〵

こつぱづかしいやりかけやう。こりや果《はて》ないと思つたから。むりむたいにお二人《リ》を襖《ふすま》の内へぼい込《ツ》で。奴めが耳《み、》おつ付《ケ》てきけは。ちよび〳〵二人《リ》が何ぞ参つたやら。むまい。〳〵とおつしやつたにずんど地フシ違ひはごはりませぬ。

詞ア、コリヤ〳〵黙《だま》れもふよいは。ナニ金吾殿聞るゝ通りのしぎ。たつて婚礼《こんれい》を勧《すゝむ》れは。枕をかはした後《チ》の云号。呉羽之介へ女の道がたゝぬと申す。所詮《しよせん》此上は先約《せんやく》の貴殿へ訳を立る（50ウ）それ迄は。呉羽之介と娘が縁組致さねは。地ハル波風たゝ色ぬといふ物。詞ハア其御一言《ン》で金吾が疑《イ》はれ申た。こなたと一家の縁を結び。兼々頼《ミ》度《キ》と申せしは斯《ク》の通りと。地ウ乗物に立寄てウ戸をひらけは。ハルフシ盛《さかり》はまだき。中桜木の。女御は涙に打しウほれナフなつかしのハル先生やと。ウ立出給へは色ハ、はつと頭をさげ。詞斯《ク》あらんと存ぜしゆへ金吾を招《まね》き。印籠《いんろう》の蒔絵《まきゑ》に事よせ。君の御事を尋奉る其子細。天皇は大海兵衛といふ者の守護《しゆご》によつて。丹州網野《あみの》村に皇居《くはうきよ》あるよし承る。病中の金吾御《ン》供が叶はずんは。万事は某よろしく計《はか》ひ奉らんと。地色ウ申せは笹田は安堵の思ひ。女御も嬉しさ限リなく。とにもかく（51オ）にも便リはおことら両人ぞや。よきに頼ムと計にて。御衣《ぎよい》をしぼらせ給ひける。

コハ恐レある御仰。先々人の見る目もあれは。早御乗物に召るべし。コリヤ〳〵寸斗平。ひそかに我カ屋敷迄。身共に代つて供奉《ぐぶ》致せ。畏ッたとかしこに向ひ。ヲイと跡に控《ひか》へし下部を招《まね》き乗物へかゝせて立帰る。程もあらせず生田《いくた》の方より。又もや来る早乗物先生いらつて。ヤア何者成ぞ乗打ひろがは赦ルさじと。声かけられて六尺共。すゝみもやらずひかゆれは。ア、御免ン下され花熊殿。全《まつたく》以て乗打ならずと。刀ひつさげ立出るは。生田の神職《しんしよく》千努権ノ頭清房《きよふさ》。家来に向ひはつたとねめ付。身は老眼《らうがん》（51ウ）にて遠目がきかぬ。先生殿の是にごさるとなぜしらせぬ。イヤもふわかちしらぬ下々ゆへ思はざる不礼。御用捨《ようしや》なされて下されよ。ナニサ〳〵。其元と存シなは何しに咎《とがめ》申べし。扨先刻子息呉羽之介。帰られしと承り是へ招《まね》きしが。何ゆへに見へ申さぬと。問れて俄カに当惑《とうわく》顔。イヤそれは。御息女を躬呉羽が妻に。中受ケたいが余《あま》つて。有様は先生殿のお心を。引見ん為の偽り。其申訳やら躮が名代やらに。拙者参上いたしたと。
地ウ聞クよりひかへしハル色笹田左金吾。詞ム、扨はこなたが聞及ぶ。千努権ノ頭殿か。ハテ其元が。笹田左金吾殿じや
よのと。地ウ互ィに挨拶《あいさつ》。フシにが（52オ）笑ひ。
地色中先生はハルさあ中らぬ体《てい》。詞娘は一人聟は両人。笹田男千努男と。世上の人の口の端《は》に。地ウかゝる縁辺《ゑんへん》。ハル都迄も隠レ
中なく。千努とウ笹田が云号のハル前後を色争《あらそひ》。詞いづれへも縁付させずんは。王子の御所へさし上ケよとの仰。最早《もはや》
此上は娘が縁組延《のば》しがたく。地ウ旁《かたぐ》を招《まね》きよせたりと。ハル靫《うつぼ》に飾《かざり》しウ二張の弓を中取分ケ。ウ矢を一ト手づゝ相添ェて。
フシ両人が前におき。
詞其弓矢にて賭鳥《かけとり》の勝負あれ。射勝《ゐかち》し方を聟にせん。地色ウ此義ハルいかゞと中有けれは。ウホ、面白し〳〵と。ハル弓矢追取
立別れ。ウ権ノ頭気色《けしき》色を正《たゞ》し。詞高岳《おか》ノ王子御信仰《しんかう》なさるゝ。生田の神職《しんしょく》を勤《つとむ》る某。地ウ上の御威光《ゐくはう》をかつて。（52
ウ）ウ求のまへを申受るもウ安けれ共。ハル押付ウケわざは色仕らぬ。詞イヤサ此左金吾も桜木の女御《にょうご》の。首打て皇子へ

さし上。抜群《ばつくん》の手柄《てがら》を顕《あらは》したれは。御恩賞《おんしやう》にかへてお上へ願ひ。其元に負《まけ》は致さぬぞ。ハ、、、、。おこがましし左金吾。御辺が女御の首うちしは。皇子へ誠の忠義ではない。トハ又なぜにと。争《あらそ》ひつのる詞の鏑《やさき》先生せいして。ア、双方共にしづまり召れ。凡《およそ》弓射《ゐ》る事は。心たゞしからざれは射法《しやほう》に叶はず。殊に其御ン弓は。いにしへ神功皇后《しんぐうくはうぐう》。異国征罰《いこくせいばつ》の時。当国弓絃羽《ゆづるは》が嶽《だけ》にて。軍《いくさ》の勝負《しやうぶ》を試《こゝろみ》給ひしより。我カ家《いへ》に代々預り。例年《れいねん》生田の神事《じんじ》（53オ）には。神前へ捧《さゝげ》るが嘉例《かれい》と成リ。今日も其賽《かへりまうし》の折からなれは。生《しやう》ある鳥を殺さんより。あの幕の絵の。浮洲《うきす》にとまりし水鳥を。的《まと》と定《さだめ》てゐられよ。いか成ル弓取にても幕を射《ゐ》ぬき。白矢《はくし》の功《こう》を顕《あらは》す事。鍛錬《たんれん》なけれは及びがたし。いかにも〳〵。其御気づかひあられなと。射《しや》芸《げい》に馴《なれ》し二人が詞。傍《かたへ》よつて先生は射前《ゐまへ》に気を付ケ。またゝきもせず見物す。爰は所も生田川。深き妹《いも》背《せ》の争ひに。千努と笹田が弓矢のわざ。媚《なまめか》しくもいさぎよし。双方暫ク引しぼり。ひやうど放すと見へけるが。いかゞはしけん権ノ頭。弓と矢からりと投捨《なげすつ》れは。金吾

（53ウ）も同じく身をそむけて弓杖《ゆんづへ》つき。ヱ、病中なれは心に任せぬ。イヤ権ノ頭も老人の義なれは。射前《ゐまへ》も的《まと》も定まらぬと。案《あん》に相違《さうい》の詞に先生。ヤア心得ぬ旁《かたぐ》の振舞《ふるまひ》。ナ、何ゆへ成ぞと尋ぬれは。金吾につこと打ゑみ。其元の思ふ矢坪《やつぼ》を違《ちが》へしゆへ。左の給ふは尤。逍《さすが》老功《らうこう》の権ノ頭。はやくさとられしゆへ。某も心付キ。そこつの矢を射ざるは仕合。ヤア〳〵そりや何をいひめす。ハテ扨もふ隠し給ふな。此権ノ頭と左金吾に。あの絵幕《ゑまく》の水鳥を的《まと》になし。娘求の胸板《むないた》を射させ。高岳ノ皇子へ云訳をたてんとは。そりやあんまりな思し切リと。黒星《くろぼし》さゝれて忙《あき》るゝ先生。幕の（54オ）内には。きやつと許リにさけぶ声。画《ゑがき》し鵆《ちどり》は血《ち》にそまり。怪《あや》しくも又いぶかしし。

ヤア扨は娘が自害かと。さとれど父はさはがぬ体。権ノ頭かけよつていたはり出せは。嫁入《よめり》出立《でたち》の白無垢《しろむく》を血汐《ちしほ》にひたす色直《いろなを》し。まぶかに着《き》たる綿《わた》ぼうしは残《のこん》の雪《ゆき》の春の日に。消《きゆ》る間《ま》近き。風情也。

コリヤ娘。何ンとして禁《いましめ》の縄ときしぞ。去ながら能死《よくしん》だ。それで千努笹田の両人へ。此先生が武士が立ッと。いふに二人は拳《こぶし》を握《にぎ》り。我レ々が志をむげにして。早まつたる最期《さいご》やと。悔《くや》み嘆く其所へ。かちやはだしでかけくるは求のまへ。此体見るより。ナフ悲しやと手負にすがり泣しづめは。人々是はと二度恟《びつく》り。求がながらへ（54ウ）有ルからは。手負《ておひ》はたそと。帽子《ほうし》をとれは母の浮橋。思ひ定めし必死《ひつし》の深手。求は悲しさやるかたなく。最前みづからが父上にいましめられ。あの幕の内に有し所へ。後《うしろ》の森《もり》より。母様忍んでお出なされ白無垢《むく》ぬがせて。跡はわらはに任せ置キ。恋しき夫トにいてあへと。おつしやる詞の嬉しさに。跡先キの弁《わきま》へなく。折角《せつかく》生田へ尋行しに。呉羽様のお帰りとは偽り。かふした事の有ふはしか心ならず。戻《もど》つて見れは母上の。我レにかはつて此有様。冥加《みやうが》の程がおそろしい。申皆様。どうぞお命取とむる。療治《りやうぢ》の仕様《しやう》はない事かと前後。ふかくに泣けれは。（55オ）

様子を聞ィて人々も。哀さましくる隠し泣。手負は。くるしき。目をひらき。ナフ娘。そなたの命チ助《たす》けふ計リに。お二人リの鏑《やさき》にかゝらふと。思ひし事をさとられ。直クにわらはが自害せしは。夫トの武士を。立《たて》ん為の。覚悟《かくご》ぞや。中権ノ頭様。金吾様も聞ィてたべ。わたしはもと花熊の家の妐《こしもと》。おと丶しの秋奥様の。風の心地と病《やみ》付キ給ひ。いまはの際《きわ》の枕《まくら》もと。先生様とわらはを招《まね》き。無理に夫婦の盃《さかづき》させ。頼みおくは求が事。真実《しんじつ》の子と思ひ。かはいがつて下されと。家来のわしに手を合せて奥様の。涙をながして。くれ〴〵と頼死になされた。御遺言《ゆいげん》をむになし（55ウ）て。いかに爺御《てゝご》の仰じやとて。求の前を見殺しに。成リそふな物かいな。母がかはつて嫁入の。此振袖《ふりそで》を着《き》てしぬれは。皇子方への聞へもよし。お二人リの武《ぶ》士《し》もたつと。かなたこなたを思ひやり。命を捨る自《みづから》を不便と思ひ。云号の縁切ッて。呉羽之介に。添《そは》せてやつて下さんせ。情も御恩も。生々世々に忘レはせぬ。先生様も頼ミます。もとの夫婦に成ッてたべ。娘も母と呼ンでたも。わしやさられては奥様に。頼れた義理がたゝぬ。どうも未来で云訳がないはいのと。娘が身のうへ我カ身の願ひ。ふしおがみ〳〵ムせつなる。心を思ひやり。笹田も千努も先生も哀さ。類《たぐ》ひは（56オ）なかりけり。

求はわつと声を上。とにもかくにもわらはゆへ。か丶るうきめを見せまする。産《うみ》の親より太切《たいせつ》に。かはゆがつて給はつたおまへじや物。父上がさらしやんしても。わたしが為にはやつぱり母様。コレなふ母様。母様なふとすがりつき。引入ル手負を。よびいけて涙の限《かぎ》り。声限。りくどき。嘆くぞ。あはれなる。左金吾も涙にくれて居たりしが。コレ〳〵お袋。こなたのお願ひの通り。求のまへと云号《いひなづけ》の縁きる証拠《しやうこ》。是見られよと指添《さしぞへ》ぬいて我レと我カ。腹にぐつと突立《つきたつ》る。人々是はと驚けは。先生はつたとねめ付ケて。ヤア気が違つたか（56ウ）左金吾。娘求と縁きる証拠に。切腹《せつぷく》とはうろたへたか。太切なる主君の先途《せんど》は。どの命を以《もつ》て見届《とゞけ》ると。はげます詞に。金吾くるしき。息をつき。

ホ、其憤《いきどを》りは理《ことは》り。皇子方に由縁《ゆかり》ある人。求を嫁《よめ》に中受ケ。こなたを味方に付んとはかるゆへ。某に云号の。縁をきらじと争ひしゆへお袋の。命を捨て我への侘言《わびこと》もだしがたく。腹切《はらきつ》たる其子細《しさい》は。先日南都《なんと》にて流レ矢にあたり。かなぐりぬけは矢がら計リ。鏑《やのね》臓腑《ざうふ》にさび入ッて。薬リも療治《りやうじ》も叶はね共。忠義の一念こつたるゆへ。けふ迄はながらへしが。主君桜木の女御を。其元へ預け奉りし（57オ）上は。思ひおく事少しもなしと。いはせも立ず先生。イヤサ金吾。血《ち》迷《まよふ》てそりや何をいはるゝ。石も言《ものい》ふ世の中。皇子方の人も聞クと。心を付れは権ノ頭。ホヽ其気遣ひは無用〳〵と。腰刀《こしがたな》するりとぬいて腹につき立。アヽいづれも騒《さはが》れそ。当時皇子の御信仰《しんかう》ある。生田明神の神職《しんしよく》なれは。旁《かたぐ》の疑ひは去事。某が相果れは。桜木の女御の御ン身の上も。先生の密謀《みつぼう》も。皇子へもれ聞ゆる気遣ひなしと。いふに求はむせかへり。けふはいか成ル日なるぞや。母様といひ舅御迄。何たる事ぞと。かこち泣キ。ヲヽ悲しきは道理〳〵。何とぞして夥（57ウ）呉羽に尋あひ。必養父《やうふ》の某に義理を立テな。千努の家をつぐならは。自然《しぜん》と皇子に従《したが》ふ道理。いづくの島いづくの浦。あまの苫屋《とまや》に住侘《すみわび》ても。夫婦中よふ連添《つれそふ》が。先キだつ我レへの孝行《かう〳〵》ぞと。伝《つた》へてたべと計リにて。跡は涙にあやぞなき。

金吾は疵《きづ》の切口へ。手を突込《つゝこん》で臓腑《ざうふ》にまとふ鏃《やのね》を取出し。ヱヽ帝《みかど》の御先途《せんど》も見届《とゞけ》ず。我カ命をとられたるは此夭《とがりや》矢。近頃無体な事ながら。是を証拠に。敵《かたき》を討《うつ》ておくりやれと。呉羽之介に頼でたべと。血をおし拭《ぬぐ》ひ求が傍《そば》へ投《なげ》やれは。涙と倶《とも》に取上て。君の味方へ我ヵ夫《つま》を。勧《すゝめ》ん為のお頼ミと覚れは。夫トに此よし（58オ）申聞せ。敵を討て手向《たむけ》ませふと。いへは先生涙にくれ。ホ、健気《けなげ》也娘。此上はいまはの母が願ィに任せ。呉羽之介が行衛を尋。思ひの儘《まゝ》に添せてやるぞ。求が身のうへ気遣ィすな。正念《しやうねん》の臨終《りんじう》せよと。いふ声手負の耳《みゝ》にふれ。ア、嬉しき夫トの。其一ト言《こと》がめいどのみやげ。左は思へ共。跡に残れる娘が嘆き。嘸《さぞ》便リなふ思ふらん。いとしの人やそなた程。母に縁なきものはなし。はかなき親子のちぎりやと。摺《すり》寄《より》〳〵い。だきしめ又さめ〴〵と泣けるが。

ア、我レながら未練《みれん》の諄《くりこと》。今は泣ィても悔《くやん》でも。かへらぬ夢の浮橋が。かたみに。残す一首の歌岸根《きしね》に。立ッて斯《かく》となん。（58ウ）住侘《すみわび》ぬ。我ヵ身投《なげ》てん津の国の。生田の川は。名のみ成けり。よみも終らず深みへかつぱと飛入れは。コレハと驚く父娘。前後ふかくに見へけれは。

二人の手おいは立上り。千努と笹田が妻諍《つまあらそひ》に。浮名を流す生田川。同じ流レのみくずぞと。いひつゝ岸根《きしね》に。よろぼひ寄ルを先生声かけ。ア、是々両人暫クと。とゞむる所へ。いさんで馳《はせ》くる寸斗平。只今丹州網《たんしうあみ》野《の》村の大海兵衛殿より。飛札到来《ひさつとうらい》仕ると一封《いつぷ》の文箱《ふばこ》を主人に渡し。二人が手負し有様を見るに驚クはかり也。

先生件《くだん》の書通《しよつう》をひらき。読《よむ》より三度押《おし》いたゞき。ヤア左金吾権ノ頭。慥《たしか》に聞カれよ。当今淳和《とうぎんしゆんわ》（59オ）天皇。丹州網野に皇居《くはうきよ》有リ。大海兵衛といふ者の忠烈《ちうれつ》にて。東国《とうごく》の官軍《くはんぐん》。忍ヒ々に手配《てくば》り定《さだま》り。近ン々に御ン旗《はた》上ヶ有べきとのしらせぞや。先奥州《おうしう》には大野《おほの》ノ朝臣東人《あそんあづまんど》。加賀国《かゞの》には藤原ノ利仁《としひと》。扨都には。文室《ぶんや》ノ綿麿《わたまろ》小野篁《おの、たかむら》。清原《きよはら》ノ夏野《なつの》融《とおる》ノ大臣《おとゞ》を始メとして。君の御ン方すくなからず。物数ならねど此先生が。関西《くはんせい》卅三ケ国を。官軍に勧《す、》め置イたれは。朝敵征罰《せいばつ》近きに有といさみ。すゝんで。云聞《いひきか》すれは。いまはの二人も嬉しげに。ゑめるも武士の勇《いさをし》や。おしや先キだつ母の操《みさほ》に。残れる娘は孝《かう》の道。武運《ぶうん》ひらくる花熊が。情

に茂《しげ》る。やたけ心の。笹田男千努男と事跡《しせき》を。顕《あらは》す求塚《もとめつか》今に。其名を残しけり（59ウ）

第四

道行　市女笠

うきといふ。世のうき。事に。ま丶ならぬ今の。うき身の　うきたびを。くらぶの山に。あらね共。日かげの花も。時　しれは。ちりもはじめず。とことはに。さきもおくれぬ桜木《さくらぎ》の女御《にようご》は君の御在所《ざいしよ》を。人のしらべにおとすなる。丹後《たんご》と聞ク を便りにてたづね。生田《いくた》を出給ふ。思ひも深《ふか》き市女笠《いちめがさ》。めしもならはぬ道しるべかしづき申すものとては。女孺女官《によじゆにょくはん》にもめのとにも。たつたひとりの寸斗《ずんど》平《へい》。跡にあゆみのよはげなく何か。（60オ）おそれもなぐさめて。ゆけは〳〵東に。朝日かけ。さすや一ト腰《こし》だいなしの。姿そぐはぬ主従《しうぐ》も。心はへだて。中村の。里をはなれて。見わたせは。嵐染なす紅葉ばの。露おもげなる。草。道に。すだく虫の音《ね》諸共に。秋の田をかる賤《しづ》の男《お》が。手業《てわざ》もそろふ声のあや。　君をおもへは。かく忍べ共かいぞなき。つれなき松にふるしぐれ。情に隔《へだて》はなきものを。忘れまじつきせまじ。思ひはつん〳〵つりの糸。ひいてしやくる所を。釣《つ》た所は。おもしろや。げに面白き。磯《いそ》山も。思ひある身はつど〳〵に（60ウ）峰《みね》もこぶかき〳〵大江山いくのゝ道の。遠けれは。まだふみも見ぬ。あまべの里。

爰はいにしへ天《あま》てらす神《かみ》やどります跡ふりて。今も残れる御社《みやしろ》とをしへ申せは遙拝《ようはい》有。五十鈴《いすゞ》の流れ影《かげ》清《きよ》くふたゝび朝庭《てうてい》あきらかに。四海をてらさせ給へやと。御祈《き》念《ねん》あれは諸共に。おがむ手もとのあふせ川。三宅の宿《しゆく》にさしかゝり。あれ〳〵御覧ぜ里の子供が寄リつどひ。我カ名しつてかゆびざして。うたふ小歌にうかされて。　せなが腰に付たは。ちよころこもんぱか毛氈《もうせん》か。緋羅紗《ひらしや》か猩々緋《しやうぐひ》なら。（61オ）まつかでよかろ寸斗平。よかろ〳〵寸斗平。ずんど見事と夕景色《げしき》。絵にも筆にも及びなき雲の。帯かとうたがはる。煙《けむり》のたへま名に高き。是ぞ丹後の。富士《ふじ》のみね。樹木《じゆもく》しげりてつらなりしは。はぢの岩滝小松原風に乱るゝ。　木の葉《は》の雨が。ちらりちら〳〵はら〳〵と身にふり。かゝる涙の浦。つらき恋路に引かへて。行かふ人の旅まくら思ひ〳〵に。こよひしもたがた。れと。とこよのはま見へ。て。あれ網《あみ》舟の数々を。こなたに高き由良《ゆら》山より。魚《うを》見の男が麾《ざい》ふりて。（61ウ）かけ引しらせに鰯《いわし》舟。進退《しんたい》。自由《ゆう》に見ゆるこそ。　みかどの招きに諸国の官軍《くはんぐん》馳集《はせあつま》るにことならず。きつさうよしといさみをなし。草履《ざうり》つかみの奴めが。申すは恐《おそ》れ多けれ共。すてつぺいから爪《つま》先まで。君の御用にたつからた。腕《うで》に覚は片鎌鑓《やり》。つき出せ〳〵すつ〳〵〳〵。すめではふられぬてんもくざや。目の鞘《さや》はついた早業に。大てき朝敵《てうてき》してこめさ。まかせておけろとおぼしめせはや。御在所も程ちかし。いさゝせ給へと行さきは。世に七まがり八《や》峠《たうげ》と。名におふ由良の浦山にしばらく。つかれを　〽はらさるゝ（62オ）

地ハル海山を心のまゝに随《したが》へて。魚見をおのが営《いとなみ》と二度爰に名を顕し。事に動《どう》せぬ胸の中チ。大海兵衛が身の上
と人も怪《あや》しむ七曲《なゝまかり》。九折《つゞらおり》来《く》る其有様。腰《こし》に采配《さいはい》山刀さしくる汐《しほ》と諸共に。磯辺にこそはおり立たり。
地色中ウ世界見晴《はら》し一ト呑《のみ》と。咽《のんど》の広き二ふくつぎ。たばこくゆらす折からに。とつた〳〵と双方《さう》から。一度に
かゝる組子の大勢おつ取まき。むんずと組をもんどり打せ。めてへすくむを掴投《つかみなげ》。向ふてかゝるをひつ
かづき。右と左リに蹴《け》たをす早業《わざ》。尻《しり》引からけ身構たり。
地色ウ人々手なみにきよつとせしがさあらぬ体。ヤア〳〵大海兵衛。身が事は皇子の執権《しつけん》。八栗監物《くりけんもつ》といふ者。
手向ひひろがは絶体絶命《ぜつたいぜつめい》。イヤ手向ひは（62ウ）致しませぬ。が御咎《とがめ》の子細《しさい》はいかに。ヤアとぼけま
い〳〵。儕《おのれ》はもと浦島が家来と聞ク。お尋の浦島六次大夫は。そちがかくまひおくと。当所の下司《したづかさ》熊田《くまだ》ノ
次郎が注進《ちうしん》。ハゝゝゝ。こは思ひがけなきお咎め。六次大夫殿をかくまい置カぬ其証拠《しやうこ》は。浦島殿の家
を拙者《せつしや》は。逐電《ちくてん》致イた者でござりますム、すりや浦島が家にゆかりはないじや迄。ハアいかにも。主人に

離《はなれ》て世のたつぎなく。今は此近辺の浦人共に頼れ。昼《ひる》は一日此山のてへんへ上つて。魚見を仕ッて猟師《りやうし》の世渡り。身にくもりなき大海兵衛。まだ御不審がはれずんは。ぜひに及ぬ百年目と。さつぱりとした云《いひ》披《ひらき》に。遉《さすが》の八栗も納得《なつとく》して。ヲ、然らは改メて申付る。（63オ）今にても浦島六次大夫が。蟄所《かくみどころ》相しれなは注進《ちうしん》いたせ。急度《きつと》申渡したと。権柄《けんぺい》ふるふて立帰る。

大海兵衛は跡見送り。ヱ、稀有《けう》なやつにか、つて。思はぬ事に隙どつたと。つぶやき〳〵立上れは。向ふへ媚《なまめ》く都上臈《じやうらう》。ヤア〳〵〳〵。此磯山隠レに珍《めづら》しい風俗。供はそぐはぬやつこらさ。あら心得ずと見とる、間《ま》に。互ィに見合す顔と顔。ヤアそなたは大海兵衛ではないかいの。コハ思ひがけなや桜木の女御様と。しさつて敬《うやま》ひ奉れは。

寸斗平　罷出。コレハよき所にて御意得ました。女御様のお供申て。其元の御住所《ぢうしよ》網野《あみの》村へ参る所と。互ィの挨拶《あいさつ》。女御涙にくれさせ給ひ。帝様も自《みづから》も。漸《やう〳〵》廻《めぐ》り青丹《あをに》よし奈良《なら》の京にて（63ウ）引別れ。おことが守護《しゆご》し奉ると。先生がしらせゆへ津の国の花熊《はなくま》より。遙々《はるぐ》尋きたりしぞや。片時《へんし》も急ぎ我君に。逢せてくれよと許リにて。先生が情の次第。笹田金吾が最期《さいご》迄。語リもあへず嘆るゝ。

大海兵衛もやゝ暫シ。とかふ涙にくれけるが。ヱツヱ不届《とゞき》なるは花熊先生。遖《あつぱれ》君の忠臣と思ひの外。かゝる御ン供を歩《ぶ》仲間《ちうげん》ごときに申付しは。イヤサそれはこなたの御了簡《りやうけん》が違《ちが》つた。めのと女中をも相添ェ。先生直キにお供するも安けれど。さすれは人の目に立てお為にならない。そこで拙者に。御供申付たるは。ずんどよつく拙者めが。どしやうぼねを見すへての事だ。主人先生常々申スは。花熊の（64オ）家名をつぐべい男子なければは。いく〳〵は引上ケて。家督《かとく》を譲《ゆづら》んとあれ共。下劣《げれつ》の身なれは辞退《じたい》いたして罷リある。ムウ然らは御辺腹《はら》からの下臈《げらう》では有ルまい。ハ、アいかにも。日外南都《なんと》にて。君の御命チにかはりし藤の井は。此寸斗平めが妹でごはりますと。聞より驚く大海兵衛。ム、藤の井が兄とあれは。扨は御ン身は仲成《なかなり》の忘レ形見よな。氏といひ素性《すじやう》といひ。花熊の家督《かとく》を譲《ゆづら》れんと有ルも理り。此上は何か心を置べし。女御の御ン供申されよ。天皇のまします我茅屋《ばうおく》へ。案内せんといひけれは。ア、暫ク御待チ下されよ。亡父《ばうふ》仲成が朝敵《てうてき》の。汚名《おめい》を雪《きよむ》るそれ迄は。君の龍顔拝《りやうがんはい》するは恐レ有。女御様をこなたへ慥カに渡した（64ウ）様子を。主人先生へしらするのが寸斗平に相応《さうおう》。然らは是より帰られよ。ナイ。おさらはさらはと。女御も倶《とも》に暇乞。引別れ行磯山陰《いそやまかげ》。

けはしくかけくる人影《ひとかげ》に。大海兵衛眼《まなこ》をくばり。女御を囲《かこふ》てつゝたては。透《すき》もあらせずかけ来タる二人の手負。ヤア〳〵汝は蟻門《ありど》弥久次何鹿兵庫《いかるがひやうご》。何ゆへかゝる手をおいしぞ。守護《しゆご》させ置キし天皇の。御身に別条あらざるか。どうじや〳〵と問れて二人は息をつぎ。浦島六次大夫が妻岩瀬《いはせ》。数多の家来を引連レ来り。大海兵衛は盗賊《たうぞく》の詮義有と乱レ入候を。我々さゝへ候へは。彼ノ女が長刀にかけちらされ。か様に手をおひ候と。いふに転倒《てんどう》こふしを握リ。シテ〳〵天皇様の御身（65オ）の上はいかに〳〵。されはこそ救《すくひ》出《いだ》し奉らんと。御座の傍《あたり》を見れは。早御行がたは知レさせ給はず。其事しらせ申さん為。恥《はぢ》を思はず参りしと。

聞クとひとしく大海兵衛身をふるはして走リ出れは。女御袂に取付ィて。死る共生キる共我レも伴ひくれかしと。引とめ給へはア、御尤去ながら。天皇様を奪《うばい》奉るは暫時《ざんじ》の内。延引《ゑんにん》しては玉体危《ぎよくたいあやう》し。ぜひに〳〵とおしやりて。コリヤ〳〵両人。見れはさまでの深手にあらず。少シの間。女御を守護《しゆご》し奉れといひ捨て。心も空に飛立ッ勢ひ。峰《みね》よりおつる石車《いしぐるま》。飛がごとくに翔行《かけりゆく》。跡に女御は悲しさつらさ。二人の者に誘《いざなは》れ岩間に。忍びおはします。

鵆《ちどり》なく波のうね〳〵。蜑小舟《あまおぶね》渚《なぎさ》の方タに漕《こぎ》よすれは。勿体《もつたい》なくも淳和《しゆんわ》天皇。(65ウ)濁リにそまぬ御粧ひ。六次大夫が妻の岩瀬。かい〴〵しく君を供奉《ぐぶ》し。渚《なぎさ》に上れは舟人は磯辺に添フて帰りける。女御はそれと見るよりも。なふなつかしの我カ君やどかけ寄給へは。思ひがけなや桜木と。やゝ驚カせ給ひける。御有様そぜひもなし。

女御は漸《やう〳〵》涙をおさへ。大海兵衛が自《みづから》を此所に忍せ。やがて迎《むかひ》に参るべしと。くれ〳〵申置キつるが。

誰レ人なれは君をぐぶして姫ごぜの。是迄守護し申されしぞ。ハ、アいかめしう申スもいかゞなれ共。浦島六次大夫が妻岩瀬と申者也と。聞より驚き。あら恐《おそろ》しの岩瀬やな。六次大夫は皇子の味方。其妻なれは油断はならぬ。ア、御疑ひは御尤去ながら。夫トこそ悪人なれ。我は代々御朝恩《てうおん》深き。丹波ノ国（66オ）天田の城主《じやうしゆ》。道主《みちぬし》が姉也と。語タれは君も叡感《ゑいかん》有始メて御《み》心とけ給ふ。ヲ、此上は大海兵衛と心を合せ。よきに計ラひ得さすべしと詔《みことのり》。ハット岩瀬は頭《かうべ》をさげ。恐レがましき事なれど。大海兵衛と申ス者。たとへ忠義をつくす共道《さすが》は下臈《げろう》。取分ケ盗賊《たうぞく》の詮義有リ。末々心底《しんてい》心元トなし。殊に此国に皇居《くはうきよ》猶あぶな物。都よりは皇子の家来八栗監物。当国に入込ミ居ますれは御大事此時。山一つ越ユれは丹波路。弟道主が方へ遷幸《せんかう》なし奉らんと申上れは。岩陰に忍びゐたりし弥久次兵庫《ひやうご》出来り。ヤア〱岩瀬。帝様を渡しては我々が武士たゝずと。手負ながらもがむしや者《もの》打てかゝれは。ヤアしほらしき旁《かたぐ》と。長刀取のべ（66ウ）両御所を後《うしろ》にかこひ。上段下段水車《みつぐるま》。籠手《こむて》引ク手になぎ立られ。無念〳〵と何鹿蟻門《いかるがありど》。山路の露と成てげり。サア〳〵是よりお急ぎあれと。老女ながらも千騎に一騎。動《うご》かぬ岩瀬が御供し。夜半に紛《まぎれ》て我カ親里丹波路。さして〽行末は。竹の葉の。散失《ちりうせ》ずして。よゝこめて。丹後《たんご》ノ国水江の庄に名も高き。浦島太郎久冨《ひさとみ》が六世の孫。六次大夫時久《ときひさ》が屋敷には。都より御不審受《しん》ケし折からとて。万事に心奥書院。はや肌寒《はださむ》き秋風に。老イをいたはる浦島太郎久冨。男盛《ざかり》に見へながら年は三百四十八才。ほうろく頭巾《づきん》に広袖《ひろ》羽織《はおり》。菊《きく》や桔梗《きゝやう》や萩薄《はきすゝき》庭の千種《ちぐさ》の花畠を見廻る。跡（67オ）より妼《こしもと》共。お茶よたばこと持チはこべは。駒下駄《こまげた》ぬいで床几《しやうぎ》にかゝり。ム、そちは妼のお鳴《なる》お添《そへ》じやな。年寄ッてはめんよな物。顔は見知《しつ》ても又しても名を取ちがへる。ホ、、、あの御隠居《いんきよ》様とした事が。お若い形《なり》をして年寄のいふ様な事ばつかり。イヤサ此浦島が若く見ゆるは龍宮《りうぐう》の霊徳《れいとく》。恰好《かつこう》は廿三四の様なれと。色気《いろけ》のないが老人の正銘《しやうめい》。六世の孫の六次大夫を尋此家へ戻りしは当春。今迄ついにそち達が手を握《にぎつ》た事もなけれど。望ミならはちと出かけふかと。戯《たはむ》れかゝる後の方。ウ六次大夫が女房岩瀬ウ思ひがけなく出来れは。中フシ浦島驚き手持チぶさたに見へにける。

詞ア、是々（67ウ）祖父《ぢい》様私に其御遠慮《ゑんりよ》は御無用。イヤなふ嫁女《よめぢよ》。よい年をして面目《めんぼく》次第もおじやらぬと。

地ハルまじめに色なれは打笑ひ。詞龍宮よりお帰りなされし奇瑞《きずい》にて。いつ迄もお若いおまへなれは。無理とは更々《さらく》存ませぬと。地ハル祖父の若気《わかげ》をなぐさむるフシ頷《しらが》の嫁《よめ》は孝行者。

地ハル浦島重《かさね》て色コレサ岩瀬。詞おことが夫ト六次大夫。身が為には六世の孫なれ共。高岳ノ皇子の御謀反《むほん》に組《くみ》せし大悪人。不便ンや身の禍《わざはい》を招《まねく》べしと思ふに違ず。今度都にて皇子の御病気祈《いのり》の為。海龍神へ六次大夫を人身《ひとみ》御供《ごくう》にてそなへんと有。それを恐レて逐電《ちくてん》したれは妻マの汝がいたはり。此屋敷に隠し置クかと。皇子方より（68オ）疑ひたつて日毎《ひごと》の詮義。我レも心を痛むる所に。何かはしらずおことが。悦《よろこば》しき事が有ルとおいやつたが。其様子が早く聞たいと尋られ。地ハル嫁の岩瀬は色摺寄《すりよつ》て。詞サア悦《よろこば》しいと申スは。日外玉手箱を盗ミ欠落《かけおち》した。家来大海兵衛が隠レ家へ。昨晩《さくばん》自ラが直キに向ふて。大きに手がらをいたしましてござります。

シテ〳〵玉手箱は何ンと成た。中々彼レめはお身が手には及フまいが。イヱ大海兵衛はるす手下タと思しき者共がさゝへしゆへ。わらはが長刀にかけて切ちらし。玉手箱を詮義せんと庵リの内へ乱レ入しに。思ひかけなや勿体《もつたい》なや。帝様の御忍びと聞もあへず浦島大きに仰天し。ヤア扨は大海（68ウ）兵衛は天皇方の忠臣《ちうしん》成ルか。今此国には皇子の執権《しつけん》。八栗監物《やくりけんもつ》が逗留《とうりう》して罷有レは。帝トの御ン身の上危《あやうし》しく〳〵。ア、其気遣イはない様に私が親里へと心ざし。丹波路《たんはぢ》へ供奉《ぐぶ》し参る道にて。君をしたひ津の国より来り給ふ。桜木の女御様に出合イしゆへ。君諸共女御様も。我カ弟丹波の道主が館《やかた》へうつし奉り候へは。別条は侍らはずと語れは悦ひ。ヲ、悪心な夫トに異《こと》なる適《あつぱれ》なるおことが忠義。帝の御世に成たらは浦島が家を引おこす基《もとひ》。是偏《ひとへ》に仏天《ふつてん》の加護《かご》と覚れは。いで御礼の勤行《ごんきやう》せん。岩瀬後《のち》に逢イ申さふと隠居をさして入けれは。

取次の下部罷出。誰レかは存（69オ）ぜず乗物に召れしれつきとしたお侍イ。六次大夫様の御難義《なんぎ》を。救イに来たとの仰なるが。御対面候かと窺へは。ホ、何者にもせよ我カ夫の。難義を救《すく》ひに見へしとあれは楚《そ》忽《こつ》は有まじ。はや〳〵是へと云付ヶて待間程なく。中門より入来る。立髪の大の男眉毛《まゆげ》さかたち頬髭《ほうひげ》の。蒼《あをみ》だつたる大海兵衛。身の綺羅飾《きらかざ》る上ミ下モ大小。のつし熨斗目《のしめ》の衣紋《ゑもん》付。目八分に捧持《さゝげもつ》たる白台《しらだい》に。帛《ふくさ》包《つゝみ》を取のせて岩瀬が前に直しおき。憶《おく》する色なく家来が直す挟箱《はさみばこ》に。腰打かけて控《ひかゆ》れは。

ヤア何者かと思ひしに。厚皮《あつかは》な大海兵衛取逃《にげ》した（69ウ）主《しう》の家へ。身の科《とが》を恐レず立帰るのみならず。あんまりな験怠《くはんたい》さがりおろふときめ付れは。ハ、、、以前は以前今は今。夫ト六次大夫殿の命を助ヶに来りし。此大海兵衛なれは飛しさつて三拝《ばい》有ル筈。身が申訳には奪《うばい》取リし玉手箱。并《ならび》に金子五十両。帛《ふくさ》包《づゝみ》の内に有ル改メてお受取なされいと。さも平臥《へいぐはい》にいひけれ共。夫トの命を助ん為と何にも岩瀬が胸撫《むねなで》おろし。帛ひらいて改メ見。ヲ、いかにも金五十両に玉手箱慥ヵに受取ッた。サア六次大夫殿の難義《なんぎ》を救《すく》ふ子細が聞キたい。ハレかる〴〵しきお頼ミ。拙者も今は外ヵに主取《しうどり》いたして此ごとく武士の数にも入たれは。蛤《はまぐり》で汐《うしほ》を（70オ）かいほす様な義では大海兵衛は頼れぬと。詞に角立理《かどたてり》屈《くつ》ばる。

詞 ホンニ立派《りつぱ》なお侍ィになられしに気が付ヵなんだはわらはが麁相《そさう》。シテ其御主人とはいづくのどなたじやそれが聞たい。ヲヽ大海兵衛が主君は忝クも。十善万乗《ばんじやう》の君。近曽《さいつころ》より高岳ノ皇子に世をせばめられ給ひ。我ヵ住所《ぢうしよ》網野《あみの》村の茅屋《ばうをく》に忍ンで皇居《くはうきよ》有リけるを。昨夜《さくや》こなたが某がるすへ来つて君を奪ひ。浜手《はまて》をぐぶして帰られしと承つて是へ参つた。地ウ 何とぞ帝トの ウ 御在家《ありか》仰聞ヶられ下され スヱテ かしと頼ムにぞ。中

詞 ムウすりや天皇様のお行衛を聞ふ為の方便《てだて》に。夫トの難義を救《すくは》んと偽り飾《かざつ》て見へたのか。(70ウ)ナンノ偽りではござらぬ。天皇の御行衛を聞ィた上で。サアそんなら夫トの命を助るとある。子細をちやつと聞ヵして下され。イヤ先ッ帝の御在所《さいしよ》から承ふ。イヱまあそちからイヤそつちからと互ィに 地ウ 前後を争《あらそ》ひしが。ハル 大海兵衛心付。色 詞 ハヽアいか様聞た跡てはいふまいかと。そつちの疑ひこつちの廻り気。いつ迄争ふても事はひぬ。某は六次大夫の命を救ふ一大事を書付てお目にかけふ。然らは此岩瀬も天皇様御安体の様子を書認《かきした》め。双方一同《ど》に取かはさんそれ〱硯《すゞり》早く是へと。地ウ 銘々料紙《めい〱りやうし》取持て ウ 筆をそばめて ハル 隠し書。ウ さら〱 フシ さつと

互ィに認め。
詞 サア兵衛殿。岩瀬殿と。（71オ）地ウ 右から左リへ手ン々に引取 ハル 読《よみ》も終らず顔見合せ。色 ハ、詞 遖《あつぱれ》岩瀬殿女義に似
合ぬ天皇方への忠臣。か丶る皇居の様子を聞ィて大海兵衛安堵《あんど》いたした。イヤもふ其悦びは互ィ。夫ト六次
大夫が命を助くる御深切《しんせつ》な此書付。祖父《ぢい》浦島太郎殿へちやつと披露《ひろう》申ましよ。ヲ、然らはあの玉手箱をも
浦島殿へお戻《もど》しなされて下されい。成程〳〵。暫クこなたはあれ成ル奥庭の。離《はなれ》座敷で休息あれ。地ウ 妼共案
内せよと ハル 夕日影。ウ 大海兵衛は供の下部に挟箱《はさみばこ》を ウ 取持タせ 中ヲクリ 内庭。伝ひに ウ 入けれは。ハル 岩瀬も心晴《はれ》渡る。ウ 玉手箱
に件《くだん》の一通取添て。フシ 隠居をさして走ッ行。
地ウ 其日も既に暮合ィ過対《つい》の挑灯《てうちん》先キ（71ウ）に立。ハル 熊田《くまだ》次郎直高《なをたか》上使也と案内すれは。ウ 岩瀬はとつかは ウ 出向ひ。色
詞 コレハまあ熊田様。地ウ 毎度《まいど》の御上使御 ハル 苦労《くろう》と。フシ 敬《うやま》ひかしこへ請《せう》じける。
地ハル 熊田ノ次郎声 色 をあら丶げ。詞 ナニサ奥方。六次大夫は此屋敷に隠し有ルに極つたり。大勢を以て家捜《やさがし》せよとの

仰なれは。地ウ遁《のがれ》ぬ所と諦《あきら》め召れと我レは顔に述《のべ》けれは。ハル岩瀬ちつ共色驚カず。詞現在《げんざい》わらはが連合イの事なれは。隠し置クかとのお疑ひは御尤ながら。覚なけれはいつ迄も存ぜぬといふより外は詞はなし。ム、其ごとくちんじらるゝ上ヱからは。門外《もんぐはい》に待タせ置た大勢を呼ヒよせ。家捜シをさするぶんの事。者共来れとつゝたては。ア、暫ク御待（72オ）下されよと。地ウ浦島太郎久冨《ひさとみ》ハル礼服《れいふく》改め色出来り。詞未練《みれん》に命を惜《おし》む六次大夫。人身御《ひとみご》供《くう》にそなへられてから。海龍神《かいりうじん》の感応《かんおう》有べき様なし。外に究竟《くつきやう》成ル老人候へは得心させて牲《いけにへ》にさし上ませふが。家捜シを御宥免《ゆうめん》下されふかな。ホ、此度皇子の御病脳《びやうなふ》は。海龍神の祟《たゝり》と有ゆへ。愛着《あいぢやく》輪廻《りんゑ》の紲《きつな》を離《はなれ》し老人を。牲に海へ沈《しづ》め。御快気《くはいき》の御祈《いのり》をなされん為なれは。六次大夫には限らぬ。代リに立べき老人を聞出して。夜明ぬ内に八栗殿の旅宿《りよしゆく》迄さし越サれよ。地ハルハ、有難き御了簡と。ウ岩瀬も倶に色悦へは。詞イヤサ此上に手筈が違ひ申スと。きつと曲事《きよくじ》に仰付らるゝと。（72ウ）地ウ詞に苦味《にがみ》かみまぜて熊田ノ次郎はフシ立帰る。地ハル岩瀬はほつと色溜息《ためいき》つき。詞申祖父《ぢい》様。夜の明る迄に代リを立ふと受合イ給ふは。さつきにはおまへにさし上し。

大海兵衛が書付が力草《ちからぐさ》。ヲ、サよもや違ィは有ルまじきが。地ウ今一応《いちおう》兵衛にしめし合せんと。ハル離《はなれ》座敷へ行折

ウふし媿共。ウ手《て》燭《しょく》か丶げ色てかけ来り。中々詞御隠居様。何か大海兵衛様がお目にか丶りたいとて。お待なされ

てござります。ヲ、それは幸々。祖父様あれへ御出と。地ハル嫁がす丶めに浦島太郎奥庭さフシして別レ入る。

地ウ時しも中戸に数多の人声。ハル取次のウ案内に連レどや／＼と色入来り。詞私共は浦島様代々の御領分。与佐《よざ》ノ郡《こほり》の

（73オ）浦人共急に浦島太郎様へ。申上たい義が有ッて。夜ルの夜中《ちう》に参じましたと。地ハル口々いへは岩瀬が色恟《びつく》

り。詞コリヤ／＼其様にざは／＼いはずとどれ成共一人。様子を語れ何事成ルぞと尋ぬれは。地ハル西浜《ゆふはま》の海老《ゑび》右

衛門色罷詞出。イヤ別のこつちやござりませぬ。浦島様此屋にござる様子が聞へ。龍宮の乙姫様が浦島太郎様

を尋て。与佐の海へお上りなされましてござりますと。地ハルいふをとゞめて岩瀬はふしんは色れやらず。詞ヲ、い

かにも浦島様。龍王の乙の姫君と妹背《いもせ》のかたらい遊したとは聞しが。それが此界へ尋て見よふ筈はない。

ハアテ奥様其やうにお疑ひなされますな。（73ウ）けふ日《ひ》暮過《くれすぎ》の事で有たが。俄《にはか》に沖《おき》が風も吹カぬに浪があ

れる。ふしぎな事じやと浦中が出て見たれば。あたまに蛸《たこ》や栄螺《さゞい》や鯛《たい》や海老《ゑび》を戴《いたゞい》た大勢の人影。ざは〳〵磯辺《いそべ》へ上ると思はしやりませと。地ウ咄す内より岩瀬を始め妣共もハル興《けう》さめて。ウソレハまあ絵に書ィて有ル龍宮界《りうぐうかい》の人。其者共が乙姫様を誘《いざな》ふて色来《き》たかいの。詞イヱもふ龍宮の言《ものいひ》はしやれた物で。ちよれぺん〳〵ちやらくさ〳〵といふばつかりで一つもあやちがたゝぬ所へ。彼ノ乙姫様が大きな亀《かめ》に乗リながら。岡《おか》へ上らしやりました其お姿の美《うつく》しさ。涎《よだれ》なかして浦島様が三百年余《あま》り龍宮に（74オ）ござつたも道理。釣《つり》の糸《いと》より細《ほそ》ひこはねを出して。コリヤ〳〵浦人共。我レこそは龍宮の乙姫。浦島太郎様に契りをこめしゆへ。日本の詞つかひを覚て居れは。そち達が合点の行ク様にいふて聞カさふ。浦島様が古郷《こきやう》へお帰りなされたによつて。有ルにもあられず遙々《はる〴〵》の波路《なみぢ》を慕《したふ》てきたはいやい。我カ夫のましまます所へ連レ行キ逢してくれよ。其代リには此丹後の名物《めいぶつ》。鰤《ふり》や鰯《いわし》のたんととれる様に守《まも》つてやろふと有難いお詞。猟師《りやうし》冥加《みやうが》に叶ふたと浦の者共か悦び。地ウお供廻りを龍宮へ戻し。ハル漸《やう〳〵》と駕籠《かご》を才覚して。ウ乙姫様を是へ連レまして参りましたと今見る様に（74ウ）咄すにぞ。
ヲ、それは太義で有た。コリヤ女子共今聞し様子を浦島様へ申上よと奥へやり。其駕籠早く是へ通せの詞に随《したが》ひ。ヨイ〳〵〳〵与佐の浦人前後《ぜんご》に取付ｷ。椽先ｷに駕籠かきすゆれは。ア、コリヤ〳〵〳〵皆の者頭《づ》が高い。ずつと下れと腰《こし》をかゞめてゐび右衛門。乙姫様へ申上ヶます。則ﾁ爰が浦島太郎様の六世の孫御のお屋敷。あれにござるが其お連合《つれやい》。御対面《たいめん》なされませいと簾《すだれ》を上ヶれは立出る乙姫君。波瀾《はらん》の御衣《ぎよい》に玉の笄《かんざし》桂《かつら》の眉《まゆ》。瓔珞《ようらく》傍《あたり》をかゝやかし紅《くれない》の袴《はかま》踏《ふみ》したき。月も照《てり》そふ粧《よそほ》ひ也。
岩瀬も夢に夢見し心地。縁はふしぎや乙姫様。いざゝせ給へこなたへと。書院《しよいん》をさして（75オ）伴《ともな》へは。

浦人共口を揃《そろ》へ。中々乙姫様。仲人《なかうど》は宵《よひ》の程私共は是からお暇申ます。おみやげの赤貝《あかゞい》で浦島様をお饗応《もてなし》と笑ふて皆々帰りける。

斯《かく》と聞より浦島太郎遣戸《やりど》おし明ヶ立出れは。乙姫見るよりナフなつかしや太郎様とすがり付て嘆くにぞ。

ヒヤア思ひがけなや我ヵ妻マか何として来られしぞと仰天《げうてん》すれは寄添ィて。ア、恨しや浦島様。おまへが此古郷をしたひお帰りなされた其跡で。自ラがうき思ひ恋し床しは日に千《ち》たび。涙でくらす折からに。父龍《りう》王《わう》様の使ィを蒙《かうむ》り。遙々《はるぐ》尋てきたはいなと。跡は詞もないじやくり顔ふるたびにちる涙。戴《いたゞ》く瓔珞《やうらく》水晶《すいしやう》の玉を。乱タせるごと（75ウ）く也。

傍《そば》から岩瀬が引取て。サア〳〵中御夫婦倶に。ちやつとあの隠居へいて。つもる思ひをお寝間《ねま》の内で。はらし給へと勧《すゝ》められ。イヤ乙姫の是へ見へしは父龍王よりの使ィとあれは。尋度キ事も有ルと堅《かた》ふ見せるは詞の浦島乙姫君はおもはゆげに。打つれ寝所《しんじよ》にいるさの月。影傾《かげかたむ》けは。いかふ今宵《こよひ》は夜が更《ふけ》た。妼共も立て休めと岩瀬も〽奥へ入にける。

秋の夜の。軒の松風柃《このは》の雨。しつぽり濡《ぬれ》の私語《さゝめごと》。浦島夫婦はさし向ひ。燈《ともしび》幽《かすか》に隠居所の。障子の影もなまめかし。

人音ト さづめは六次大夫。書院の天井《てんじやう》めつき〳〵長押《なげし》をへつたふてひらりとおり立。前後に配《くば》る貪欲《どんよく》我慢《がまん》の（76オ）眼《まなこ》の光リ。ヤアあの影法師《かげほうし》は乙姫と祖父《ぢい》浦島。いか成ル事を物語るぞ。様子聞んと耳《み、》聳《そばだて》忍ンで立聞ク其時しも。

岩瀬は手づから。膳部《ぜんぶ》たづさへ書院へ出。相図《あいづ》の手《て》拍子《びやうし》打テ共〳〵音トせねは。ヤア扨は夫トは天井にはおはさぬかと。見廻す庭《にわ》の中戸の方へによこ〳〵出る人影を。ちらりと見るよりかけよつて。ナフ六次大夫殿じやないか。ア、女房声が高い。サア家内の者が寝《ね》しづんだによつて。いつもの通り御膳を調へ持て来たのに。どこへいかふと思ふてぞ。ハテしれた事。八栗監物の旅宿《りよしゆく》へ。ム、そしたらこなたは。人身御供《ごくう》にそなはる心に成てかいの。ヤア馬鹿《ばか》つくすな。命が惜《おし》さ（76ウ）に都から密《ひそか》に帰つた某。たつた今天皇の在家《ありか》を聞出したゆへ。王子方へ註進《ちうしん》して。我カ命チを助かる爰放《はな》せ。イヤ〳〵放さぬ。待て〳〵と引摺戻《ずりもど》し。戸口に立てコレ六次大夫殿。其悪心ンと知ッたゆへ。深く隠した帝《みかど》様の隠レ家《が》。誰レに聞て悪の上塗《うはぬり》さつしやるぞ。天罰《ばつ》が恐しうはないかいのと。嘆きしづめはイヤめんどうな諄《くりこと》。たつた今祖父《ぢい》浦島夫婦の。何角の咄を障子《しやうじ》越《ごし》に。聞ィたが直クに天の告《つげ》。とめだてひろぐな。いやとめると夫婦が争《あらそ》ひ。ヲ、うぬがそこを通さぬとて行まいか。奥の小庭《こには》の塀《へい》を越ュれは。八栗の旅宿へ近道《ちかみち》と。書院へ上れは浦島太郎。一ト間より飛で出。腕《うで》（77オ）捻《ねぢ》上ケてどうど打付。ヤイ孫め。是迄段々此祖父が異《ゐ》見《けん》を用ひず。神ミの御《み》末の天皇に敵対《てきたい》奉り。安穏《あんおん》に立ふと思ふか。朝敵《てうてき》と成し者の子孫つゞきし例《ためし》はない。悪念《あくねん》をひるがへし。代々つゞきし浦島の家を立テてくれよ。君の御味方に加《くは》はつてくれよかしと。諫《いさめ》つ怒《いかつ》心を砕《くだ》く浦島の。思ひを汲《くん》で乙姫立出。我カ夫マ太郎様の。諫メを承引《せうゐん》なきならは。龍女《りうによ》の利《り》剣《けん》に命チをとらんと燈《ともしび》の。影にひらめく水波《すいは》の袂《たもと》にかゝやく白刃《しらは》。六次大夫嘲《あざけ》り笑ひ。かほど迄に思ひ立たる存《ぞん》念《ねん》。祖父の異見でも。龍女の諫メでも用ぬ〳〵。たつた今訴人《そにん》して天皇の隠レ家。丹波《たんば》の道主《みちぬし》が館《やかた》へ（77ウ）押寄セる。手がらをするを見物せよと。つゝ立上れは岩瀬は件《くたん》の利剣をもぎ取。飛かゝつて夫トが太腹《ふとばら》ぐつと突込《つゝこみ》。肝《きも》のたばねウをゑぐるにぞ。ハア〳〵はウつと計リに浦島夫スヱテ婦ぜひも涙に。くれ中居たる。
地色ハル六次色大夫は手むかいもせず。詞ヲ、女房でかした。あの龍女の持ッたる利剣にて殺さるゝは。某が望ム所。地ウま
だ〳〵ゑぐれハルといふに皆々悔りして。詞ヤア。そんなりや死ヌる覚悟《かくご》かと。地ハルうろつく中ウにも女房岩瀬ウはあら
れぬ思ひ。ウ手の裏《うら》かへす立派《りつぱ》な詞は。ウ善心《ぜんしん》に色ならしやつたか。詞乙姫様の利剣で死《しに》たいとある。地ハル訳《わけ》が聞た
ウい〳〵と。すがりよれは。手負はほつ色と息をつき。詞訳といつぱ。あの浦島太郎といふは。(78オ)おれと
そなたが中ヵに設《まふけ》し。稚名《おさなな》を亀若といひし我ヵ子じやはいの。ヱ、イ。其亀若は三ッの年から。音信《ゐんしん》不通《つう》の
契約《けいやく》で。津の国の千努《ちぬ》権頭《ごんのかみ》殿へ養子《やうし》にやり。今は呉羽《くれは》之介清光《きよみつ》と聞しが。それがあの龍宮の姫君に契り
をこめしは。ハアテ扨うろたへた事をいやる。龍宮の習ひに死人を忌《いむ》といへ共。必死《ひつし》の深手にくるしむ。
我ヵ体を見て泣悲しむが。誠の乙姫でないよき証拠。躮呉羽に云号《いひなづけ》の花熊の娘。求《もとめ》の前といふ事迄。最前
あの隠居の内にて。両人が孝行《かう〳〵》深き。心入レを聞クとひとしく。六十年来《ねんらい》。しこりにしこりし我ヵ悪念《あくねん》。忽チ

発起《ほっき》したるぞ（78ウ）と。聞にせつなき呉羽之介。其ごとく善心に成給はゝ。帝へ味方はなされずして。何ゆへに此御覚悟と身の悲しさをかきくどけは。求も装束脱捨ていかに諫の為じやとて。舅君と知ながら龍女の利剣で殺さふと。いひし事の勿体《もつたい》なやと。嘆きさけべはいとゞ猶。倶に涙に呉羽之介漸に顔ふり上。三才で別し舅と申ては。中々諫も異見も。御承引有まじと存するから。舅花熊先生としめし合。養《やしなひ》父の家を逐電《ちくてん》いたして是へ来りしは。過し頃帝の霊夢《れいむ》に。龍宮より浦島太郎。玉手箱を持て此土《ど》へ帰るゝと。諸国へ触流《ふれなが》されしをよき方便《てだて》と。子の身にて（79オ）六代先の祖父と成来りしは。親人を善心にすゝめん為計。コレ御覧せ。玉手箱といひしは偽り。内にこめしは諸国の官軍。催促《さいそく》の連判状《れんばんじやう》。日外大海兵衛といふ者に盗れたれ共。かれも君の御味方ゆへ戻しくれし所に。今宵妻の求が浦人をかたらひ。乙姫と欺《あざむ》き爰に来りしは。親六次大夫殿を味方に付しかと。先生より窃《しのび》の催促。今一《いち》応《おう》諫てみて。御用ひなくんは拙者《せつしや》が腹《はら》を切ルぶんと。思ひしは仇《あだ》と成。母人のお手にかゝり求の前が懐剣《くはいけん》にて。お果《はて》なさるゝ覚悟とあれは。我〻夫婦にうきめを見せんとのなされかたか。聞へませぬ親仁様と悔《くやみ》あせつて嘆く（79ウ）にぞ。

母もわつとむせかへり。呉羽求が孝行なる心入を立聞して。善心になられしとは露しらず。手にかけしは我誤。こらへて給はれ赦してと。泣ても佗ても療《りやう》治の叶はぬ急所の深手。名残おしやおいとしやと。求の前も諸共につきぬ。思ひぞ哀なる。

ヲ、其悲しみは道理〳〵。六次大夫が日頃の積《せき》悪にくらぶれは。かゝる最期《さいご》はまだ仕合。嫁の求が。龍女の利剣と欺き持し此刃は。先頃笹田左金吾に射《ゐ》かけたる。某が心の夭矢《とがりや》。ヱ、イ。そんなら自に先の云号。金吾殿はおまへの鏑《やさき》に。ヲ、サ其敵をとらん為。夭矢を懐剣《くはいけん》に拵《こしら》へ持しと。最前おことが隠居にて。呉羽之介に咄すをきゝ。（80オ）斯はからふて相果るは。嫁のそなたへ舅が寸志の。めくみそや。昔が今に至《いたる》迄朝敵と成たる者。終《つい》にはかふした死をすると心得て。君への忠義を忘るゝな。呉羽之介にいひ残す是が今生此世の名残。舅も嫁も女房も。最早悔《くやむ》な嘆くなと。いへ共いとゞ三人が。悲しさ増《まさ》る涙の雨。十方暮《くれ》に梅雨《つゆ》八専《はつせん》一同に降《ふる》も斯やらん。

かゝる嘆きに沈《しづみ》し半《なかば》。誰かはしらす一ト間の内より。ヤア〳〵六次大夫親子倶に慥に聞。汝等が太祖《とおつおや》。誠の浦島太郎久冨是に有と。轟《とゞろ》き渡る声にあはて、呉羽夫婦。襖《ふすま》をさつとおしひらけは。有しに替つて大海兵衛。龍頭の宝冠戴《いたゞい》て（80ウ）玲瓏《てりかゝやけ》る雲霓《うんげい》の。地紋章《ぢもんあや》有ル大龍王《だいりうわう》の束帯《そくたい》姿。手には一つの宝珠《ほうじゆ》を捧《さゝげ》。金銀《こんぐ》を鏤《ちりばめ》し。沓音《くつおと》しづ〳〵厳然《げんぜん》としてあゆみ出。

いかに旁《かたぐ〳〵》。浦島太郎が斯《かく》出立しは。往昔《そのかみ》雄略《ゆうりやく》天皇の御時。龍宮城《りうぐうじやう》に向《おもむ》き。娑迦羅龍王《しやかつらりうわう》の聟と成リ。真人《まうと》龍王と崇《あがめ》られ。龍都《たつのみやこ》に有し時の姿也。今迄仮《かり》に大海兵衛と変名《かへな》せしゆへ。汝等が疑念《きねん》なき様に。此ごとく衣冠《ゐくはん》を改め。六世の孫の六次大夫。七世の孫の呉羽之介。二人の孫嫁共にも対面《たいめん》せん為。始終《しじう》の訳《わけ》をあれにて聞キ。忍びがたく出たりと。まん中カにおし直れは。ヤア扨は先祖《せんぞ》の浦島太郎殿にてましますか。

何ゆへ今まで御ン身の上（81オ）を隠クされしぞ。龍宮より帰り給ふはいつの頃と。手負の六次が匍《はらばい》よれは。呉羽之介もさしよつて。岩瀬求に至る迄不測《しき》を感《かん》ずる計リ也。

ヲ、世にも人にも心置ク。此浦島が身の上咄語《かたつ》てきけん。扨も当今淳和《しゆんわ》天皇の聖徳《せいとく》。海龍王《かいりうわう》の神意《しんゐ》に叶ひ。君の危難《きなん》を救《すく》ひ奉れとの命《めい》によつて。二タ度本土《ほんど》に帰る事。我レながらもはかりしられぬ神通力《じんつうりき》。海漫《まん》〱たる雲の波　数万の。鱗《うろくづ》みちびけは。是ぞ帝《みかど》を流したる。窾舟《うつろぶね》そと白波に。たゞよふ。浮木諸共に。立くる波を。打払《はら》ひ。〱。流レよるへは与佐の浦。龍宮の霊薬《れいやく》にて。御脳《ごなふ》は即時《そくじ》に助《たすけ》しか共。（81ウ）古郷ながら。有し昔のしるべはなく。三百年の月日につれ。山河《さんか》草木《さうもく》の気色《けしき》までも替り果《はて》。頼む木陰《こかげ》に雨もると六世の孫の六次大夫は。王子に組する極悪人。其上に浦島太郎と我ガ名をなのる曲者《くせもの》有。詮義をとげんと其時始メて。大海兵衛と名乗こゝに来り。玉手箱を奪《うばひ》取てひらき見れは。官軍《くはんぐん》一味の連判状《れんぱんじやう》。見るより安堵《あんど》の思ひをなし。身のうへ明《あか》し合体《がつたい》せんと思ひしか共。六次大夫に心おかれ。折から得たる金《かね》を路《ろ》金《きん》に。一ト先君を都へ伴ひ。憂艱難《うきかんなん》を凌《しの》ぎ〳〵て。又もや此丹後に下リ。忠義に様々心を砕《くだく》としらざるか。六次大夫が悪事《あくじ》に引かへ。（82オ）呉羽は適《あつはれ》忠義の者。けなけ也でかしたり。是へ〳〵と招《まね》きよせ。浦島太郎が龍宮より立帰り。七世の孫の汝に廻り逢ィたるを。悦ぶに悦れぬ六世の孫があの手負。子よりも不便ンといひつたへし孫の孫なる其孫の。おことら親子に此祖父《ぢい》が長生が譲《ゆづり》たい。かほどに思ふ念願《ねんぐはん》が通《つう》しなは。八大龍王恵《めぐみ》をたれ。只今せまる孫が命を。救《すくふ》て給はれ助《たすけ》てたべと。我を忘れし叫び泣。六次呉羽は身を打ふし。とかふ岩瀬も求の前も。祖父の御恩の有難涙せきとめ兼るぞ道理也。

呉羽之介気を取直し。ハヽア嘆きに紛《まぎ》れ失念《しつねん》せり。父六次大夫殿の代《かはり》（82ウ）に立る。人身御供《ひとみごくう》の老人。此明方《あけがた》迄に皇子方へ。渡さずんは事の破《やぶれ》。いかゞ計《はから》ひ申べしと尋れは。ホヽいかにも。其義は此浦島が。甚深《ぢんじん》ふしぎの計ひ有と。件《くだん》の宝珠《ほうじゅ》をうや〳〵しく押直《おしなを》し。此宝珠は世の人言《ひとごと》に。玉手箱といふ物也。龍宮ならで。外カにたぐひもあら玉の。形《かたち》をなしたる手箱ぞや。是をひらかは望《のぞみ》に随《したが》ひ。一人の老翁《らうおう》顕れ出んそれ〳〵と有けれは。

はつといらへて呉羽之介。手箱のふたを明クるとひとしく。ぱつと白雲《はくうん》たなびき出。覆《おほ》ひかゝれは浦島太郎。俄《にはか》に転倒《てんどう》身をもだへ。宝冠《ほうくはん》装束《しやうぞく》かなぐれは。コハ〳〵いかにと呉羽夫（83オ）婦。いたはるかひもあら悲しや。今迄若きお姿が見る間に老木《おいき》と衰《おとろ》へし。斯ク成給ふ事共しらで。明ケてくやしき玉手箱と二人が悔《くや》み。岩瀬も倶に胸せまり。扨は我カ夫マの代リに立て。人身御供になはり給ふお心かと。聞より深手の六次大夫むつくとおき。ヤア呉羽之介。祖父浦島殿をかはりに立テては。不孝に不孝を重ぬる道理。我を早く王子方へ連レて行ケと。心計リはあせれ共立かいもなきいた手の苦痛《くつう》。見兼たへかね浦島が。よろぼひ這寄《はひよる》其有様。髪《かみ》は荊棘《おどろ》の雪と成リ眉髭《まゆひげ》白く置ク霜の。おがらのごとき両手を伸《のべ》。（83ウ）コリヤやい六次大夫。血汐《ちしほ》に穢《けがれ》しいまはの汝。牲《いけにへ》には叶はぬ〳〵。三百年に余り生延《いきのび》たる。此翁を助ケんとて。人身御供《ごくう》にさし上ずんは。王子方より咎《とがめ》を受。浦島の家の滅亡《めつぼう》。さすれは帝の御ン為にもあしかりなん。早く連レ行ヶ刻限《こくげん》近し。呉羽之介といへ共返事《へんじ》泣沈めは。岩瀬求は声を上。いかなれは迚《とて》そもやそも。大事の。〳〵祖父様を人身御供にやりまして。其天罰《てんばつ》を何とせん。六世七世のふたりの嫁が一生の身の願ひ。思ひ止《とゞま》り給はれとくどき。たてたるいぢらしさ。

不便と思へど浦島が心よはくて叶はじと。ア、愚《おろか》々。我レ龍宮より（84オ）帰る時。八千歳《ざい》の寿命《じゆみやう》をこめてあたへられたる。玉の手箱を打ひらき。此ごとく翁《おきな》と成リ。六次大夫が代リに立てとらせんと。最初《さいしよ》から覚悟《かくご》せし事なれ共。祖父《ぢい》よ孫よと名乗て間もなく直クに別れるほいなさ悲しさ名残おしの者共やと。右と左リに六世と七世。二人の孫の。手を取て前後。ふかくに見へにける。

明方《あけがた》近き空の色熊田ノ次郎直高《なをたか》。雑人《ざうにん》引連レ入来り。ヤア〳〵牲《いけにへ》にさし上る老人はあのものか。見れは六次大夫は切腹《せつぷく》。何ゆへ成ぞと尋ぬれは。呉羽之介次郎がまへに謹ンで。六次大夫は誤《あやまり》を悔《くやん》での生《しやう》（84ウ）害《がい》。何をか隠クさん今迄拙者。浦島太郎と名乗しは偽り。実《じつ》は呉羽之介と申て浦島が七世の孫。あの翁こそ。誠の浦島太郎なれは。何とぞ命《チ》を助けたし。我《レ》を代りにたてゝたべと。いはせもたてずぐつとねめつけ。ヤア何《ン》と心得て其願ひ。蒼海《わたづみ》の神《ミ》にそなへ給ふ人身御供は。老人ならねは御用にたゝぬ。浦島とあれは猶もつて。皇子にも御感《ぎよかん》有べし。はや〳〵用意とせり立れは。はつといらへて浦島太郎椽《あん》より白砂《しらす》へまろび落れは。是はとかけよる人々を。熊田《ノ》次郎おしのけ突除《つきのけ》。(85オ)牲の故実《こじつ》なれは。塩土老《しほづゝお》の翁が例《れい》に任せ。青竹《あをたけ》の目無籠《めなしかご》を用意せりと。さもあらけなく打のせて。雑人前後をかき上れは。コレなふ申。なふしばしと取つく袂《たもと》をへだつる熊田。見おくる孫の六次大夫。深手によはるおい〳〵泣《キ》。つまの岩瀬がいたはりて。祖父に別れの露なみだこ。の世を秋の朝霧《ぎり》や。なくねあはれに浦千鳥波の。立居も定めなき。浮世の嵐吹つたへたぐひ。まれなる浦島が。七世の孫にめぐりあふむかしを。筆にのこしける(85ウ)

第五

朱文公《しゆぶんこう》は山水《さんすい》を翫《もてあそん》で智仁《ちじん》を楽しみ。張子厚《ちやうしかう》は潮《うしほ》を湛《たゝへ》て。謀計《はうけい》をなすとかや。されは河原《かはら》ノ左大臣融《とほる》公の遊亭《ゆうてい》に。陸奥《みちのく》千《ち》賀《か》の塩竈《しほがま》を遷《うつ》され。難波《なには》の浦より潮《うしほ》を汲《くま》せ。やくやもしほの賤《しつ》が業《わざ》。実も興《けう》有景色《けしき》也。折ふし来る花熊先生兼之《かねゆき》。呉羽之介清光《きよみつ》寸斗平を召つれ御前に畏《かしこま》り。融公には。三種の神器《じんぎ》をばいかへさん為。仮リに皇子へ御味方と存ぜしに。かゝる美麗《びれい》の館《やかた》を構へ。景色《けいしよく》に心をよせ。あんかんとしてましく御所存いかゞと詰メかくれは。大臣動《どう》ずる気色なく。しづ〳〵（86オ）立て一ト間の御簾《ぎよれん》をかゝげ給へは。八咫《やた》の神鏡《しんきやう》神璽《しんし》の御ン箱。斎《いつき》ならべて厳然《げんぜん》たり。

各ハツト驚けは。ヤア旁。今迄皇子に随ひ忠臣無二と見せたるゆへ。此二タ色の神宝《じんほう》はねんなふ奪イ取たれ共。今一つ日の御ン座の御剣は。皇子常々身を放されねは詮方なし。斯ク珍ら敷キ景色を搒へおかは。招かずして皇子此所へ来り給ふは必定《ひつぢやう》。其時事を計はん。先ッ汝等は此二色の神宝《かんだから》を守護《しゆご》し。丹波の道主が方へ参り。天皇へ渡し奉れとうや〳〵しくたびけれは。畏ッて三人は。丹波路さして急行。

時こそあれ皇子のお入と騒《さはぐ》声。威義をたゝして融ノ大臣廊伝《ほそどのづたひ》に出向ひ給へは。高岳ノ皇子ゆう〳〵と入給ひ。ヤア〳〵大臣。海龍神《かいりうじん》へ浦島ノ翁を牲《いけにへ》に供《そなへ》しゆへ（86ウ）我カ難病《なんびやう》平愈《へいゆ》し。威勢《ゐせい》四海をなびかす事。偏《ひとへ》に御辺が忠誠《ちうせい》によつてなれは。其一礼を謝《しや》せんが為来つたりとの給へは。コハ有難き御仰。全ク臣が計ひならず。君の御運の至る所と。卑下《ひげ》の詞も奥床し。

かゝる所へ八栗監物浦島太郎を引立来り。先達て此老ぼれ。牲《いけにへ》に海へ沈め候所に。水練《すいれん》を得たるにや。存命《ぞんめい》にて磯辺《いそべ》へ上り候ゆへ。召捕《とつ》たりとおこかましく述《のべ》ければ。皇子を始め一座の人々きいの。思ひをなし給ふ。

地ウ翁ちつ共悪《わる》びれず。詞我レ皇子の御為に牲に立しか共。龍宮の加祐《かゆう》によつて命を助かり帰りしを。斯《かく》いましめられしは。いか成科《とが》にて候と憚りなく申にぞ。地ハル皇子殆《ほとんど》色悦喜《ゑつき》の眉《まゆ》。詞汝が六世の孫。六次大夫が不忠に引かへ。適《あつはれ》翁は（87オ）丸が為の大忠臣。恩賞《おんしやう》は望ミに任せん。地ウそれ〴〵ウ早く縄をとけよと有ければ。ハル浦島から〴〵と打笑色ひ。詞三百余才が其間龍宮城《りうぐうじやう》に有て。深禅定《じんぜんぢやう》の楽《たのしみ》に飽満《あきみち》たりし此翁。何そや大悪無道の王子に仕へて何かせん。地色ハル穢《けが》らはし〴〵とウいはせも立す。くはつとせき立ツウ皇子の面色火焔《くはゑん》色のごとく。詞ヤア奇怪《きつくはい》なる翁が雑言《ざうごん》。察する所窽《うつろ》舟にて流したる天皇。存命にておはするも。うぬが所為と覚たり。ソレ〳〵八栗。きやつ拷問《がうもん》して帝の隠レ家白状させよ。引立やつと怒《いかり》の大声。地色ハルはつと恐レて監物は。フシ縄付引立入にける。

地ウ融ノ大臣色す丶み出。詞御怒リは去事ながら。かほど迄龍神の。加護《かご》を得たる浦島を糺明《きうめい》あらは。其祟《たゝり》御身にせまらんは案（87ウ）の内。地ハル恐るべし〴〵ウと諫メ給色へはア丶愚々。詞四大海の龍神龍女。一同におこつて丸に災《わざはひ》をなすといふ共。三種の神器の随一《ずいゝち》。此宝剣の徳によつて退ヶん事疑ィなし。ア、よしなき事に屈《くつ》したり。聞及しちかの塩竈《がま》を移されし風景。一覧したしとの給ふ所へ。御取次罷出。汐汲《しほ》蜑《あま》が参リしゆへ。お庭へ通し候と。案内《あない》につれて。入来る。賤《しづ》の女がかい〴〵しき。腰蓑《こしみの》しやんと片襷《かただすき》かけし。姿のぼんじやりと。愛敬《あいけう》こぼす花の顔。おめる色なくする〳〵と御前。間近く畏る。

大臣見給ひ。ヤア是迄終ィに見馴レぬ女。いづくより来りしそと尋給へは打笑ミて。わたしは遙遠国者《はるかをんごくもの》。此度お庭に。ちかの塩がまをうつされしに付。此間から参れ共。お見知リないはお道理と。じつと見上る塩の目は。汐汲ム蜑にはおしからめ。

皇子つく〳〵打ながめ。常々是へ来るといへは。景《けい》(88オ)色《しよく》残らず知ッつらん。語れ聞んと有ければ。

じぎも会釈《ゑしやく》もあらくれしわたし風情が物語リ。はづかしながらと立上リ。陸奥の。いづくはあれと塩竈の。

うらみて渡る恋衣よるべもいさや定メなき。心もすすめる水の面《おも》に。照ル月なみをかぞふれは今宵ぞ秋の最中《もなか》なる。実《げに》やうつせは塩竈の。月も都の最中ヵにてうらはの松に音トすなる。風かあらぬか。琴の音の。通ふ鵆《ちどり》が友よぶ声は。ちり〳〵やちり〳〵。ちんりちり〳〵。千賀の浦。霧《きり》の籬《まがき》の。島隠レおじまの。蜑《あま》の濡《ぬれ》衣。かはく間もなき賤《しづ》が業《わざ》。隙もおしてる月にめで。いざや汐をくまふよ。たんぶ〳〵と汲分ヶて持や田子の浦。東《あづま》からげの塩衣くめばぞ。影は桶《おけ》にあれ。実々洩《もら》さで照《てら》せ日の（88ウ）光リ。月の出汐《でじほ》を汲ム桶にうつろふ影はいつ迄も。つきぬ泉と菊の酒寿《ことぶ》き。祝《いは》ひ舞納《まひおさ》む。

皇子御悦喜限リなく。いしくも教へし一興〳〵。直クに彼レめに酌《しやく》とらせ一献《こん》汲ん。参れ〳〵と打連レへ御殿に入給ふ。

漸《やゝ》ふけ渡る嵐につれ。御殿の燈《ともしび》ゑん〳〵と。障子に怪《あや》しき影ぼうし。大臣はつと仰天有リ。酌する女が龍蛇《りうじや》の形チを顕したるは。浦島を糺明せんと有しゆへ。龍神王子に恨みをなすと覚たりと。猶も様子を窺ひ見給ふ折こそあれ。なふ〳〵こはやと奥より追々。逃くる人音トはやち風。御殿〳〵の立具障子を吹放せは。お庭にたゝへし海山一同に鳴動《めいどう》し。黒雲村立ッ其中に。千尋《ちひろ》の大蛇鱗《うろこ》を逆立《さかだて》。皇子を目かけてかゝりしは冷《すさま》じなんとも〽愚也。

龍は王子を御殿に追かけ。浦島太郎を助るにぞ。（89オ）君を誘《いざな》ひ融ノ大臣。先生呉羽諸共にかけ付給へは。浦島謹ンて人々に打向ひ。龍神八栗監物を殺したるゆへ。我カ命を助り候と奏聞すれは融公。ホ、目出たしく〳〵。丹波路より熊田ノ次郎。帝を奪ィ都へ上るを。先生呉羽出合て。熊田を討取君を守護《しゆご》して帰ッたり。皇子はいかゞ逃失セたるかと。尋る折から烈《はげし》き風に。御殿のみすを吹ちらせは。有つる龍は皇子の五体を引巻《ひんまい》て。首くい切て牙《きば》にかけ。宝剣を尾先《おさき》に捧《さゝげ》。いさめる面《おもて》は柔和《にうわ》の相。君は再ヒ九五《きうご》の位ィ。御代は長久万々歳と。いふ声残リ雲を誘《さそふ》て失にけり。朝敵亡ヒ国治リ。淳《すなを》に和《やはら》ぐ国津民栄ふる。御代こそ楽しけれ

文《ハ》以ニ作《ノ》之意《ヲ》一為レ種《ト》以レ辞《ヲ》為レ花《ト》
金声玉振実《ニ》豊年《ノ》之和楽《也》也

文者　朝田一鳥
豊岡珍平
為永千蝶（89ウ）

伝奇新腔。製様扮戯。末生且浄扭浄。
寓著木梗。文儀赫。武儀凛。那活手段。
具託絃誦。該貫伍齣。付了笑楽院本。
俺的詞曲者流。清儆之云耳

豊竹越前少掾

大坂心斎橋南四丁目西側　正本屋
西沢九左衛門板

解　題——浦島太郎倭物語

◎底本　早稲田大学演劇博物館（イ14-2-87）
◎体裁　半紙本　一冊
◎表紙　原表紙
◎題簽　原題簽「浦嶋太郎倭物語　豊竹越前少掾／正本屋九左衛門」
◎行・丁数　七行・八十九丁（実丁）
◎丁付　浦　初ノ一～浦　初ノ十八、浦　二ノ一～浦　二ノ二十、浦　三ノ一～浦　三ノ廿一、浦　四ノ一～浦　四ノ廿六、浦　五ノ一～浦　五ノ三、浦　五ノ四　大尾（ノド）
◎内題　浦嶋太郎倭物語
◎年記　無記載
◎作者　為永太郎兵衛（内題下）浅田一鳥・豊岡珍兵・為永千蝶（本文末）
◎奥書　有
◎板元　（大坂）西沢九左衛門
◎番付　有
番付の外題表記「浦島太郎倭《うらしまたらうやまとの》物語《ものがたり》」
◎絵尽　有
◎初演　延享二年八月五日　大坂豊竹座
『義太夫年表　近世篇』第一巻一六一頁参照
◎主要登場人物
河原左大臣融公　椰の方
中納言藤原常嗣　桜木女御
淳和天皇　花熊先生兼之
高岳皇子　浮橋
八栗監物　千怒権頭清房
浦島六次太夫時久　寸斗平
岩瀬　求
藤の井　大海兵衛（浦島太郎）
笹田左金吾　汲汲みの蜑（龍神）
浦島太郎久冨（呉羽之介清光）
◎梗概
［第一］
（六角堂）13頁2行目～18頁9行目
時は天長三年二月上旬、河原左大臣源融と中納言藤原常嗣は互いに相手からの使いを受け、六角堂で落ち合う。し

（菟原の里）18頁10行目〜24頁2行目
淳和天皇と桜木女御は菟原の里の住吉に御悩平癒のため参籠していた。東国の領主の花熊先生兼之と妻の浮橋は帝に仕えていたが、浦島の帰国という神勅を受けながらもその験がないことに心を痛めていた。折しも天皇が桜鯛を釣り上げられ、神勅が叶う前兆と喜ぶ。やがて黄昏時になると、融と常嗣が慌ただしく辿り着き、高岳皇子の謀反を知らせる。融は桜木女御を忍ばせ、常嗣は帝を守護して立ち退こうとする。しかしそこに高岳皇子の軍勢が押し寄せ、常嗣は討ち死にし、帝は空舟に乗せられ、海へと流される。すると見慣れぬ魚が集まり、空舟を守護して沖へと進んでいった。

（融大臣の館）24頁3行目〜34頁7行目
源融は自身の住まいに桜木女御を匿っていた。融の妻椰の方は融の命を受けて、春日に住む染物師のお鈴を呼び出した。お鈴は椰の方に仕える腰元藤の井の母親であった。その藤の井は以前宮中に仕えていたが、笹田左金吾と不義を働き、二人ともに成敗されるところを桜木女御の情で命助かり、今は椰の方に仕えていたのだった。そこへ一通の書状が届く。椰の方はそれを読んでお鈴と藤の井を奥へやかしそれは当今淳和天皇の甥、高岳皇子が再び謀反を企て、二人を味方につけるための策略だった。二人は表向きは皇子に従う。

その頃淳和天皇は難病となり、平癒のための霊薬を求めるために、都を離れ津ノ国菟原の住吉へ参籠していた。天皇は「三百年前雄略天皇が難病となった折、その平癒のために龍宮に金芝草という霊薬を取りに遣わされた浦島太郎を龍宮から召し返す。玉手箱を持っているものが浦島である」という神勅を受けていた。しかし未だ浦島が帰国したかは明らかではなかった。

そこへ皇子に従う八栗監物景連が二十代の青年の姿の浦島太郎と六世の孫六十代の浦島六次太夫時久を連れて参上する。住吉の霊夢の通りと一同驚くが、源融はすぐに金芝草の霊薬を天皇に差し上げるように言う。しかし高岳皇子はそれを妨げ、浦島を連れてくることができたのは、自分のおかげであるから、帝からは自分が褒美をもらうと言い、桜木の女御を望み、融に窘められるがさらに十善の位を望むと言い放ち、菟原の皇居へ急ぎ、返答を受けるように命じる。そして異義に及べば大軍を差し向けると言うのだった。

り、訪ねてきた笹田左金吾と対面した。左金吾も不義の一件で桜木女御に助けられ、東国へ落ちていたが、女御の危機を耳にし、また源融が高岳皇子に随っていると聞いて不審に思い、女御の御恩に報いるためにやってきたのだった。棚の方は藤の井を呼び出して二人を再会させる。二人は互いに桜木女御への御恩報じの覚悟を確かめ合う。そこへ融が帰宅し、藤の井は奥へ、左金吾は陰に身を隠す。

融は高岳皇子から拝領した衣装櫃を一間にかき入れさせ、棚の方に皇子に桜木女御を匿っていることを伝えたこと、皇子より女御を口説き落とすように命じられ、承諾しない場合は女御の首を討って差し出すよう言われたことを話す。それを陰で聞いていた左金吾は驚いて飛び出し、融に諫言する。融は怒って左金吾を笏で打ち据えるが、そこに浦島六次太夫が姿を現す。衣装櫃の中に忍んで様子を伺い、融の心底を見届けようとしていたのだった。融が皇子の味方と踏んだ六次太夫は桜木女御を御所へ連れて行こうと奥へ駆け込み、引き出してきたのは桜木女御に扮した藤の井だった。左金吾は女御を守る融の心底を悟った。融は藤の井が本当の桜木女御であるように見せるため、連れ去られた藤の井を左金吾に奪い返すように命じる。左金吾を捕らえようと、六次太夫の知らせを受けた八栗監物が大勢を連れてやってくるが、左金吾に切り散らされ、左金吾は藤の井の後を追っていく。

[第弐]

（六次太夫の屋敷）35頁2行目～42頁5行目

六次太夫の妻岩瀬は高岳皇子に仕えて出世した夫の武運長久を祈って神参りをし、帰宅の途次であった。そこへ浦島太郎久冨が子孫の廟参から戻ってくる。浦島太郎は途中で大海兵衛という者に奉公を望まれ、連れ帰って来ていた。岩瀬は夫に取りなそうと言って先に帰る。そこへ浦人たちがやってきて、不思議な空舟を発見したことを注進する。浦島は天皇が空舟で流された噂を思い起こし、その舟を引き取って浦人たちを帰した。

摂州生田の神主千怒権頭が岩瀬を訪ねてやって来て、門外で岩瀬と対面する。権頭は当時三才だった岩瀬の息子亀若をもらい受け、二十数年たって名前も呉羽之介清光と改め我が子同然に思っていたが、その清光が突如失踪し、行衛知らずになったため、捜索の旅に出ようとしていた。驚いた岩瀬は路銀の足しにと五十両を渡そうとする。辞退する権頭とやりとりしているのを大海兵衛が見とがめ、提灯の火を消して五十両を奪い取る。さらに門内では玉手箱を大海兵衛が盗んで行衛知れずと騒いでいる。権頭は驚きつつその場を去る。岩瀬は大海兵衛に長刀で切り掛かるが、空舟に押し込められ、大海兵衛は玉手箱と五十両を奪い去る。

(春日野のお鈴の住まい) 42頁6行目~58頁7行目

染物師のお鈴は急に入り婿を取り、近所の者に広めをしていたが、聟の大海兵衛が着替えの葛籠を背負って帰ってきたので、近所の者は帰っていく。お鈴はかつて大海兵衛が洗濯を頼んで持ってきた着物が大内で着る春の御衣であったため、娘と称して匿っている桜木女御を助ける手がかりにもなろうかと、大海兵衛を聟としたのだった。桜木女御の声を聞き、葛籠の中から淳和天皇が姿を現し、大海兵衛が持参した龍宮の霊薬で病も本復したことも明らかになる。

そこへ桜木女御が信夫摺の手業を見たいため、お鈴の所へ立ち寄るとの知らせが来て、八栗監物、浦島太郎六次太夫が乗物に女御を乗せて連れてくる。その女御は入れ替わっていたお鈴の娘藤の井だったが、死を覚悟して母との最期の別れにやってきたのだった。そうした所へ笹田左金吾が桜木女御を取り返しにやって来る。左金吾は多勢と戦い流れ矢を受ける。物音に驚いて藤の井とお鈴、桜木女御が表を見ると、負傷した左金吾に気づき驚くが、左金吾が融公の命令で、藤の井を本当の桜木女御と思わせるために追いかけてきたことを知る。

八栗と六次太夫は左金吾を大勢に取り巻かせ、女御を渡し、高岳皇子に従うよう迫る。桜木女御に扮した藤の井は夫左金吾の命を救おうと、皇子に降参して命を助かるように諌める。左金吾は皇子の味方になると言うが、八栗と六次太夫は信用せず、降参が本当であるならば、女御が皇子に従うように説得しろ、女御が従わなければ、左金吾が首を討ち、皇子の味方になることを示せと言う。藤の井は辞世の歌を詠み、桜木女御として夫左金吾に首討たれる。八栗らが藤の井の首を首桶に納めて帰ったあと、お鈴と女御、左金吾は藤の井の死を嘆く。天皇と大海兵衛も姿を現し、ともに嘆いた。

お鈴は前の夫は皇子の謀反に組した藤原仲成であり、娘である藤の井の忠義に免じて夫の朝敵の罪を許してほしいと願い、天皇はその罪を許す。お鈴は自害しようとするが、大海兵衛をそれを止め、夫婦の縁を切るので、尼となって夫と娘の菩提を弔うようにいう。そして大海兵衛は天皇を、左金吾は桜木女御を供奉して二方に別れていった。

[第三]

（宮中）59頁2行目〜65頁8行目

高岳皇子が桜木女御への恋の病に伏せっているところへ源融が参内する。やがて八栗監物と六次太夫は桜木女御（実は藤の井）の首を笹田左金吾に討たせたことを報告する。融は藤の井が身代わりに立ったことを知り、心を痛め、皇子は女御の死に落涙する。

八栗らが退出した後、融が皇子の恋煩いは偽りと看破すると、皇子は自分の病は実は蛇眼病だと明かし、三重に包んでいる鉢巻きを解いて眉間にある一つの蛇の眼を見せた。融は皇子が天皇を空舟で流したので海神の祟りによるものと言って八咫の鏡に皇子の姿を写す。恐ろしい姿が鏡に映り、皇子自身も驚くが六次太夫は気絶しそうになった。融は六十歳余りの老人を牲に供えるように進言する。皇子は六次太夫に牲になることを命じ、太夫は狼狽える。

そこに花熊先生の妻浮橋が先生の名代で参上する。皇子は先生の娘で美人の誉れ高い求を後宮へ上げるように命じる。浮橋は求には笹田左金吾と呉羽之介の二人の許嫁がいることを話し、双方から聟になる催促があり、当惑しているところであると申し上げる。皇子は二人の許嫁のどちらかを娶るか、二人の争いが収らない場合は後宮にあげるように命ずる。その時、六次太夫が逃亡したことが知らされる。皇子は激しく怒り、六次太夫を捕らえるように命じる。

（生田の森）65頁9行目〜85頁1行目

花熊先生の妻浮橋と娘求は腰元たちを連れて、生田の森の紅葉見物に来ていた。求は以前呉羽之介と密かに枕を交わし、恋慕っていたが、呉羽之介の出奔によってままならず、一方先に許嫁であった左金吾が聟になることを申し出ていた。母浮橋は求の願いを叶えてやりたいと考えていたが、求が呉羽之介と既に契りを結んでいたことに驚く。浮橋はこの件を自分の科にして花熊先生を説得しようとする。そこへ先生が生田社から戻る。先生は呉羽之介が戻ってきていることが明らかになったと言い、皇子の命を受けて、左金吾と呉羽之介を面談させ、どちらを聟にするか決めると言う。求は呉羽之介が戻ったと知って喜び、呉羽之介と夫婦になりたいと浮橋に話す。先生は浮橋の取り持ちで求が呉羽之介と枕を交わしたと聞いて激怒し、浮橋を離縁し、求を殺して二人の聟への言訳にするといって、求を引っ立てて行った。
そこへ乗物とともに左金吾がやってきた。かつての負傷から体調が思わしくない。先生は印籠を渡し、蒔絵の桜木を見せて左金吾の心底を窺う。一方左金吾も天皇の味方なのか高岳皇子の味方なのか先生の心底を確かめるために求と夫婦となり、縁を結ぼうとしていたのだった。先生の心底を見極めた左金吾は乗物から桜木女御を降ろして、先生に託す。
さらにそこに千怒権頭がやってくる。実は呉羽之介は戻ってきてはいなかった。先生は二人に賭鳥の勝負により聟を決めるといって、二人に幕の絵に描かれた水鳥を的として射させるが、二人とも途中で射ることをやめる。二人は先生が求を水鳥の絵の裏に隠して射殺させようとしていたのを見破っていた。しかし幕の内で苦しむ声が聞こえ、求の自害かと驚いて引き出すと、それは浮橋だった。浮橋は求の継母であり、先生の前妻の腰元だった。求を守るために自分の命を差し出したのだった。求は悲しむが、左金吾は浮橋の覚悟を見て、自ら切腹し、求との縁を切り、腹から矢の根を探り出して呉羽之介にこれを渡して敵を討ってほしいと頼んでくれと言い残す。一方千怒権頭も切腹し、皇子方の自分が果てれば桜木女御の身の上も先生の密謀も皇子方に漏れる心配はないといい、求が呉羽之介と夫婦となることを望む。先生は求が呉羽之介と夫婦となることを許す。浮橋はそれを聞いて喜び、生田川に身を投げる。左金吾と権頭も川に身を投げようとした時、大海兵衛からの文書が届き、淳和天皇が近々旗揚げすることが知らされる。

[第四]

（道行　市女笠）85頁4行目〜87頁10行目
桜木女御は寸斗平を供にして、天皇の御在所を目指し、七曲八峠の由良の浦山に着く。

（七曲の磯辺）88頁1行目〜94頁2行目
大海兵衛が海を見晴らしているところへ八栗監物が家来を従え、兵衛を取り囲んで、浦島六次太夫を兵衛が匿っているだろうと詰め寄る。兵衛は六次太夫の屋敷を逐電した身で、今はこの浦で魚見をして猟師の世渡りをしていると答える。八栗は納得し、六次太夫の居場所が知れたら注進せよと命じて去る。そこに桜木女御と寸斗平がやってきて、巡り会えたことを喜び、花熊先生の考えと左金吾の最期について語り、嘆く。兵衛は女御のお供を寸斗平一人に任せた花熊の態度を非難するが、寸斗平は花熊先生の考えを伝える。そして寸斗平が藤原仲成の子息であり、朝敵の汚名を雪ぐまでは天皇に拝するわけにはいかないと、兵衛に女御を託して花熊先生の元に戻っていった。

そこに手を負った蟻門弥久次・何鹿兵庫が駆けつけ、六次太夫の妻岩瀬が多くの家来を引き連れて大海兵衛の盗賊詮議と乱れ入ったが、天皇を守ろうとした所、既に姿が見えなかったと注進する。大海兵衛は驚き、急いで天皇を探しに駆け出ていく。

女御が蟻門と何鹿に守られて岩間に隠れていると、そこに天皇が小舟に乗り、岩瀬に供奉されて浜辺に着いた。それを見て女御は駆け寄り、天皇も喜ぶが、岩瀬が供をしていることを不審に思う。岩瀬は夫六次太夫は皇子の味方であるが、自分は天皇の恩顧を受けた丹波国天田の城主道主の姉であると語り、天皇も安堵する。岩瀬は大海兵衛は盗賊の詮議もあり、天皇がここに留まるのは危ないので、弟道主の所へお連れするという。蟻門・何鹿はそうはさせじと岩瀬に打ってかかるが、岩瀬の長刀になぎたてられ、命を落とす。岩瀬は天皇と桜木女御を丹波路へと誘う。

（六次太夫の屋敷）94頁3行目～115頁9行目

丹後の国水江の庄の六次太夫の屋敷では、姿形は二十三四の浦島太郎久富が、六次太夫が高岳皇子の謀反に組みして大悪人となり、その上皇子の病気の平癒のために海龍神への牲にされることとなって逐電したことに心を痛めていた。六次太夫の妻岩瀬は昨晩大海兵衛の隠れ家へ押し入り、兵衛の留守に乗じて家来を切り散らし、盗まれていた玉手箱を探そうとしたところ、天皇が隠れておられたことが分かり、さらに桜木女御にも巡り会ったので、二人ともに弟道主の所にお連れしたと知らせる。久富は大海兵衛が天皇の味方であることを喜び、その上岩瀬も六次太夫と異なって天皇へ忠義であることを知って安堵する。

するとそこへ六次太夫の難儀を救いに来たと現われたのは大海兵衛だった。兵衛はかつて盗んだ玉手箱と五十両を返し、天皇の居場所を教えてほしいと言う。岩瀬は夫を助ける手立てとは何かを言えば教えるという。互いに警戒するが、双方が書き付けにして一度に見せ合うことで互いの心底を知る。

熊田次郎がやってきて六次太夫を屋敷に隠しているだろうと問い詰める。岩瀬は否定し、熊田は家捜しするというところへ久冨が出て、皇子の病気を平癒する牲であれば、六次太夫に限らず、外の老人でも差し出せば、家捜しを宥免してくれるかと尋ねる。熊田は了承し、夜明け前に八栗監物まで差し出すように言って帰る。

そこへ多くの浦人がやってきて乙姫が龍宮から浦島を訪ねてやってきたと告げる。やがて乙姫が駕籠に乗せられてやってきて、久冨と対面する。二人は隠居所に入って密やかに話をする。隠れていた六次太夫が天井から降りてきて、久冨と乙姫の話を立ち聞く。夫の食事を持ってきた岩瀬は六次太夫が天井から降りてきているのを見て驚き、どうするつもりか問いただすと、六次太夫は天皇の居所が知れたので、すぐに八栗監物に注進するというのだった。岩瀬は留め立てし、さらに様子を聞いた久冨と乙姫も現われて六次太夫を留めるが押し切って行こうとする。岩瀬は乙姫の持っていた利剣をもぎ取って夫の腹に突き立てた。

六次太夫は岩瀬によく刺したと褒め、六十年来悪心に凝り固まっていたが、先ほど隠居所での二人の話を聞いて、善心に戻ったと語る。というのも、久冨とは六次太夫と岩瀬の間に生まれた男子だったが三つの時に千怒権頭に養子に出した呉羽之介であり、乙姫とは花熊先生の娘で呉羽之介の許嫁の求だった。呉羽之介は六次太夫の謀反心を諫めるため、花熊先生としめし合わせて逐電し、折しも龍宮より浦島太郎が帰るという触れを手立てとして、浦島太郎になりすまして六次太夫の家に入り込み、父を善心に戻そうとしていた。また求も花熊先生から六次太夫が謀反をやめるかどうか様子を伺い、父花熊先生に伝えるために乙姫に扮してやってきたのだった。

とそこに現われたのが大海兵衛で、実は大海兵衛こそ、本当の浦島太郎だった。淳和天皇の聖徳が海龍王の神意に叶い、浦島は海龍王から本土に帰って天皇の危難を救うように命じられた。不思議な神通力を得た浦島は数万の魚に導かれ、途中ではそれとは知らず、天皇の乗った空舟とともに与佐の浦に着いた。空舟の中が天皇と知り、龍宮より持ち来たった霊薬を差し上げて天皇の病気は本復した。六世の孫の六次太夫は皇子に組みする極悪人で、さらに浦島太郎を名乗る曲者がいることを知り、浦島は大海兵衛と名乗って六次太夫の屋敷に入り込んだのだった。しかし今、六次太夫が善心に返り、呉羽之介の忠臣ぶりを見て、六次太夫の命を救いたいと嘆く。

一同驚き、涙するが、呉羽之介は気を取り直し、明け方までに人身御供の老人を皇子方へ渡さなければ全てのことが氷解してしまうと言う。大海兵衛は宝珠を取り上げ、これこそが玉手箱であるといって呉羽之介にそれを開かせると、白雲がたなびき、大海兵衛はたちまち老人となる。そして自分が人身御供になるという。明け方近くになり、熊田次郎が牲にする老人を引き取りに来る。人々が引きとめる中、熊田次郎は浦島太郎（大海兵衛）を駕籠に乗せて引き連れていく。

[第五]

（融大臣の屋敷）116頁2行目～121頁8行目

河原左大臣融公は陸奥千賀の塩竈を遷した庭を作っていたが、これは高岳皇子を来訪させる手立てだった。融公は高岳皇子の忠臣と見せて既に三種の神器のうち、八咫の神鏡と神璽の御箱を皇子から預かることに成功していたが、御剣だけは皇子が身につけていた。それを手に入れるため、塩竈を遷した美麗の屋敷を作り、皇子を迎えようとしていた。訪ねてきた花熊先生と呉羽之介にその意向を知らせ、天皇にこの神器の二つを届けるように言う。

二人が出立した後、皇子が来訪する。皇子は牲を供えたことにより、難病は平癒していた。そこに八栗監物が浦島太郎を引っ立てて来る。牲として沈められたが、龍宮のおかげで命が助かったという。皇子は自分の家来になるように命じるが浦島太郎は拒絶する。皇子は八栗に浦島を拷問して天皇の居場所を白状させるように命じる。融は龍神の加護を受けている浦島を拷問すれば必ず祟りがあると皇子に進言するが、皇子は三種の神器の宝剣がある以上は龍神も退けることができると豪語する。

皇子は塩竈を遷した庭の風景を所望し、汐汲む女達が御前間近く参上する。その中に融公も見知らぬ女が混じっており、皇子はその女の舞姿を見て、酌をさせようと御殿の中に連れていく。やがて夜も更けていくと、酌をする女の姿は龍蛇の形に変わり、大地が振動するかと思うと千尋の大蛇の姿となって皇子を目がけて襲いかかり、皇子を殺害した。八栗監物も龍神に殺され、浦島は助かり、花熊先生と呉羽之介は熊田を討ち取り、天皇を無事守護し、世は太平に治まった。

◎補記

七行校異本

松竹大谷図書館蔵本（768.42-Ta81-A）

東京藝術大学図書館蔵本（W768.427—U—6）

十行本

慶応義塾大学三田メディアセンター蔵本（214-157-1）

◎補注

・底本では「祟（たたり）」と「崇（あがめる）」のどちらについても「崇」の字が用いられている。61頁7行目、100頁6行目、118頁9行目の「崇」は「たたり」の意味で使用されているので「祟」に改めた。

・83頁8行目の「今は泣ィても」の節付けは「タ、キ」としたが、底本には「タ、キン」とある。なお「タ、キキン」の可能性もある。

（黒石陽子）

義太夫節人形浄瑠璃上演年表（一七一六－一七六四）

一、この年表は、享保期から明和元年にかけて初演された義太夫節人形浄瑠璃作品について、上演年月と翻刻状況を中心に示したものである。

一、上演年月と外題は主に『義太夫年表　近世篇』八木書店に拠り、神津武男『浄瑠璃本史研究』八木書店を参照した。

一、同一の興行外題による再演（推定を含む）は、その正本の現存が『義太夫年表　近世篇』等で確認されているものを掲出した。

一、年表の座（所演）欄の略号は以下の通り。備考欄の「＊」は所演に係る注記事項。

豊：大坂豊竹座　**外**：江戸外記座
竹：大坂竹本座　**辰**：江戸辰松座
出：大坂伊藤出羽掾座　**肥**：江戸肥前座
明：大坂明石越後掾座　**土**：江戸土佐座
陸：大坂陸竹小和泉座　**喜**：竹本喜世太夫座
北：大坂北本和泉座　**未**：所演座未詳
宇：京宇治座
扇：京扇谷豊前掾座

一、翻刻欄には、第二次世界大戦後、『義太夫節浄瑠璃未翻刻作品集成』以前に刊行された翻刻書（原則として私家版および紀要等の雑誌に掲載されたものは除く）の有無について、以下の記号で示した。

▼：未翻刻
▲：未翻刻（戦前に翻刻あり）
▽：改題本または再演本で未翻刻（原作は翻刻あり）
×：正本の現存不明

一、翻刻欄または備考欄に記した翻刻書等の略号は以下の通り（丸文字は収録巻）。翻刻書が複数ある場合、近松門左衛門作品は『近松全集』岩波書店を、それ以外は最新刊を掲げた。なお、翻刻の会については、『同志社国文学』同志社大学国文学会に掲載された翻刻の一覧を年表末に付記することとした。

一風：『西沢一風全集』汲古書院、二〇〇二～二〇〇五年
海音：『紀海音全集』清文堂出版、一九七七～一九八〇年
加賀：『古浄瑠璃正本集　加賀掾編』大学堂書店、一九八九～一九九三年
義浄：『竹本義太夫浄瑠璃正本集』大学堂書店、一九九五年
旧全：『日本古典文学全集』小学館、一九七〇～一九七六年
旧大：『日本古典文学大系』岩波書店、一九五七～一九六七年
浄翻：『浄瑠璃正本翻刻集』国立劇場、一九八八年～
真宗：『大系真宗史料　伝記編4　真宗浄瑠璃』法藏館、二〇〇九年
新全：『新編日本古典文学全集』小学館、一九九四～二〇〇二年
新大：『新日本古典文学大系』岩波書店、一九八九～二〇〇五年
叢書：『叢書江戸文庫』国書刊行会、一九八七～二〇〇二年
近松：『近松全集』岩波書店、一九八五～一九九四年
半二：『日本古典全書　近松半二集』朝日新聞社、一九四九年
文流：『錦文流全集』古典文庫、一九八八～一九九一年
未戯：『未翻刻戯曲集』国立劇場、一九六七年～
近世篇：『義太夫年表　近世篇』八木書店、一九七九～一九九〇年
未翻刻：『義太夫節浄瑠璃未翻刻作品集成』玉川大学出版部、二〇〇六年～

年	月	座	外題	翻刻	備考
享保1	1	豊	八幡太郎東初梅	海音⑥	
	1頃	豊	鎌倉三代記	海音④	
	夏頃	豊	新板兵庫築島	海音④	
2	春	豊	傾城国性爺	海音③	
	2	竹	国性爺後日合戦	近松⑩	
	8	竹	鑓の権三重帷子	近松⑩	
	9	豊	照日前都姿	×	
	10以前	豊	八百屋お七	海音③	
	10	喜	八百屋お七恋緋桜	▼	＊江戸
	11	竹	聖徳太子絵伝記	近松⑩	
3	1	竹	山崎与次兵衛寿の門松	近松⑩	
	2	竹	日本振袖始	近松⑩	
	3	喜	八百屋お七恋緋桜付リ後日	▼	＊江戸
	7	竹	曽我会稽山	近松⑩	
	8	豊	傾城吉原雀	×	
	10	竹	日蓮上人記	×	
	10	竹	傾城酒呑童子	近松⑩	
	11以前	豊	山椒太夫葭原雀	海音④	
	11	豊	今様賢女手習鑑	×	
	11	竹	博多小女郎波枕	近松⑩	
	12	竹	善光寺御堂供養	近松⑭	
4	1	豊	義経新高館	海音④	
	2	竹	本朝三国志	近松⑪	
	5	豊	神功皇后三韓責	海音⑤	
	8	豊	頼光新跡目論	海音⑤	
	8	竹	平家女護島	近松⑪	
	8	辰	八百屋お七江戸紫	▼	
	10	豊	業平昔物語	▽	『河内通』加賀④の改題
	11	竹	傾城島原蛙合戦	近松⑪	
	この年	豊	笠屋三勝二十五年忌	×	『二十五年忌』海音⑥の別本
	この年	喜	熊野権現烏午王	文流㊦	＊大坂曽根崎芝居
	この年	喜	竜宮東門阿波鳴戸	×	＊大坂曽根崎芝居
5	1	豊	鎮西八郎唐土船	海音⑤	
	3	竹	井筒業平河内通	近松⑪	
	8	竹	双生隅田川	近松⑪	

	9	豊	日本傾城始	海音⑤	
	11	竹	日本武尊吾妻鑑	近松⑪	
	12	竹	心中天の網島	近松⑪	
	この年	竹	河内国姥火	▲	未翻刻二⑬
6	1	豊	三輪丹前能	海音⑤	
	2	竹	津国女夫池	近松⑫	
	5	豊	伏見常盤昔物語	×	
	7	竹	女殺油地獄	近松⑫	
	閏7	豊	呉越軍談	海音⑥	
	8	竹	信州川中島合戦	近松⑫	
	10	豊	富仁親王嵯峨錦	海音⑥	
7	1	竹	唐船噺今国性爺	近松⑫	
	1	豊	大友皇子玉座靴	海音⑥	
	1	辰	重井筒難波染	▽	『心中重井筒』近松⑤の改題 近世篇〈補訂篇〉参照
	3	竹	浦島年代記	近松⑫	
	4	豊	心中二ツ腹帯	海音⑥	
	4	竹	心中宵庚申	近松⑫	
	6	辰	心中二つ腹帯	▽	『心中二ツ腹帯』海音⑥の改題

	9	竹	仏御前扇車	近松⑭	
	11	豊	東山殿室町合戦	海音⑦	
	顔見世	豊	坂上田村麿	海音⑥	近世篇参照
8	1	豊	玄宗皇帝蓬莱鶴	海音⑦	
	1	未	花毛氈二つ腹帯	×	＊江戸『心中二ツ腹帯』海音⑥の改題
	2	竹	大塔宮曦鎧	近松⑭	
	5	豊	記録曽我玉笄髷	▼	未翻刻二⑭
	7	豊	井筒屋源六恋寒晒	一風④	
	7	豊	傾城無間鐘	海音⑦	
	11	豊	建仁寺供養	一風④	
	11	竹	桜町昔名花	×	
9	1	竹	関八州繋馬	近松⑫	
	2	豊	頼政追善芝	一風④	
	7	竹	諸葛孔明鼎軍談	叢書⑨	
	10	豊	女蝉丸	一風⑤	
	11	竹	右大将鎌倉実記	▲	未翻刻一⑪
10	1	豊	昔米万石通	一風⑤	
	3	豊	南北軍問答	一風⑤	
	5	豊	身替弫張月	一風⑤	

年	月	座	作品	区分	備考
	5	竹	出世握虎稚物語	▲	未翻刻一①
	6	竹	復鳥羽恋塚	▽	『一心五戒魂』義浄㊤の改題
	9	竹	大内裏大友真鳥	叢書⑨	
	10	豊	大仏殿万代石楚	一風⑤	
11	2	豊	曽我錦几帳	▼	未翻刻二⑮
	4	豊	北条時頼記	一風⑥	
	9	竹	伊勢平氏年々鑑	▲	未翻刻一④
12	1以前	外	頼政追善芝	▽	『頼政追善芝』一風④の江戸上演
	1	竹	敵討御未刻太鼓	▲	未翻刻二⑯
	2	豊	清和源氏十五段	▼	未翻刻一⑥
	4	竹	七小町	叢書⑨	
	8	竹	三荘太夫五人嬢	叢書⑨	
	8	豊	摂津国長柄人柱	叢書⑩	
13	2	豊	尊氏将軍二代鑑	▼	未翻刻一⑤
	3	竹	工藤左衛門富士日記	▲	未翻刻一③
	5	豊	南都十三鐘	▼	未翻刻二⑰
	5	竹	加賀国篠原合戦	叢書⑨	
	この頃	豊	頼政扇の芝	▽	『頼政追善芝』一風④の改題
14	1	豊	後三年奥州軍記	叢書⑩	
	2	竹	尼御台由比浜出	▼	未翻刻三㉓
	6	竹	新板大塔宮	×	『大塔宮曦鎧』近松⑭の改題
	8	竹	眉間尺象貢	▲	未翻刻五㊸
	9	豊	藤原秀郷俵系図	▼	未翻刻一②
	11	竹	京土産名所井筒	▼	未翻刻一⑦
15	1	豊	蒲冠者藤戸合戦	▼	未翻刻三㉔
	2以前	竹	梅屋渋浮名色揚	▼	未翻刻二⑱
	2	竹	三浦大助紅梅靮	叢書㊳	
	5	豊	本朝檀特山	▲	未翻刻三㉕
	8	竹	信州姨拾山	▲	未翻刻一⑧
	8	豊	楠正成軍法実録	▼	未翻刻二⑲
	11	竹	須磨都源平躑躅	▲	未翻刻一⑩
16	1	豊	源家七代集	▼	未翻刻二⑳
	4	豊	和泉国浮名溜池	▼	未翻刻二㉑
	6	豊	酒呑童子枕言葉	×	『酒呑童子枕言葉』近松⑥の豊竹座上演
	9	竹	鬼一法眼三略巻	▲	未翻刻一⑨

年	月	座	外題	記号	備考
	9以前	豊	殺生石	海音④	
	9以前	豊	忠臣青砥刀	海音⑦	
	9以前	豊	本朝五翠殿	海音④	
	9以前	豊	浄瑠璃古今序	海音④	
	9以前	豊	金平法問諍 忠臣身替物語	▽	『今様かしは木忠臣身替物語』義浄㊤の改題
	10	豊	赤沢山伊東伝記	▼	未翻刻一⑫
17	4	豊	八百屋お七恋緋桜	▽	『八百屋お七』海音③の改題
	4	竹	増補用明天王	▼	未翻刻七(72)
	5	豊	今様傾城反魂香	▼	未翻刻八(73)
	6	竹	伊達染手綱	▽	『丹波与作待夜のこむろぶし』近松⑤の改題
	9	竹	壇浦兜軍記	旧全㊺	
	9	豊	待賢門夜軍	▼	未翻刻四㉝
	10	豊	忠臣金短冊	叢書⑩	
	12	出	前内裏島王城遷	▼	未翻刻七(63)
18	2	豊	お初天神記	▽	『曽根崎心中十三年忌』海音⑦の改題
	4	竹	車還合戦桜	▲	未翻刻三㉖
	4	豊	鎌倉比事青砥銭	▲	未翻刻二㉒
	6	竹	景事揃	×	
	7	竹	重井筒容鏡	▽	『心中重井筒』近松⑤の改題
	7	豊	莠伶人吾妻雛形	▼	未翻刻五㊹
19	2	竹	応神天皇八白幡	叢書㊳	
	5以前	辰	伊勢平氏年々鑑	▽	『伊勢平氏年々鑑』未翻刻④の江戸上演
	5以前	辰	傾情山姥都歳玉	▼	未翻刻六(53)
	5以前	辰	西行法師墨染桜	▽	『西行法師墨染桜』文流㊤の江戸上演
	6	豊	曽我昔見台	▼	未翻刻三㉗
	8	豊	那須与一西海硯	叢書⑪	
	10以前	未	契情我立杣	▼	＊江戸 未翻刻八(74)
	10	竹	芦屋道満大内鑑	新大(93)	
20	1	竹	元日金歳越	▲	未翻刻三㉘
	2	豊	南蛮鉄後藤目貫	×	写本（八種）が伝存 叢書⑪底本は演博本『南蛮銅後藤目貫』
	5	豊	万屋助六二代帷	▲	未翻刻三㉙
	8	豊	苅萱桑門築紫𨏍	▲	未翻刻四㉞

年	月	座	作品	翻刻	備考
	9	竹	甲賀三郎窟物語	叢書㊳	
元文1	2	竹	赤松円心緑陣幕	▼	未翻刻五㊺
	2	竹	天神記冥加の松	×	
	3	豊	和田合戦女舞鶴	叢書⑪	
	5	竹	十二段長生島台	×	
	5	竹	敵討襤褸錦	▲	未翻刻六(54)
	10	竹	猿丸太夫鹿巻毫	叢書㊳	
	この頃	未	今様東二色	▼	＊江戸 未翻刻四㉟
2	1	豊	安倍宗任松浦簦	▲	未翻刻五㊻
	1	竹	御所桜堀川夜討	叢書㊳	
	1	竹	菅丞相冥加松梅	×	『浄瑠璃本史研究』参照
	7	豊	釜渕双級巴	▲	未翻刻四㊱
	10	竹	太政入道兵庫岬	▼	未翻刻五㊼
3	1	竹	行平磯馴松	叢書㊳	
	4	豊	丹生山田青海剣	▲	未翻刻四㊲
	8	竹	小栗判官車街道	叢書㊵	
	10	豊	茜染野中の隠井	▲	未翻刻六(56)
4	2	豊	奥州秀衡有鬠壻	未戯③	
	4	竹	ひらかな盛衰記	旧大(51)	未翻刻八(75)

年	月	座	作品	翻刻	備考
	8	豊	狭夜衣鴛鴦剣翅	新大(93)	
5	2	豊	鶊山姫舎松	叢書⑪	
	4	豊	本田義光日本鑑	▲	未翻刻五㊽
	4	竹	今川本領猫魔館	▲	未翻刻八(76)
	7	竹	将門冠合戦	▲	未翻刻七(64)
	9	豊	武烈天皇艤	▲	
	11	竹	追善百日曽我	×	
	11	竹	恋八卦柱暦	▽	『大経師昔暦』近松⑨の改題（戦前に翻刻）
寛保1	1	竹	伊豆院宣源氏鏡	▲	未翻刻七(65)
	3	豊	本朝斑女簑	▼	
	5	竹	新うすゆき物語	新大(93)	
	5	豊	青梅撰食盛	▼	未翻刻八(82)
	7	豊	播州皿屋舗	叢書⑪	
	9	豊	田村麿鈴鹿合戦	▼	未翻刻四㊳
2	2	竹	花衣いろは縁起	▼	未翻刻四㊴
	3	豊	百合稚高麗軍記	▼	未翻刻四㊵
	3	肥	石橋山鎧襲	▼	未翻刻四㊶
	4	竹	室町千畳敷	▽	『津国女夫池』近松⑫の改題（戦前に翻刻）

	7	竹	男作五雁金	叢書㊵	
	8	豊	道成寺現在蛇鱗	叢書㊲	
	9	豊	鎌倉大系図	▼	未翻刻五㊾
3	3	豊	風俗太平記	▼	
	4	竹	入鹿大臣皇都諍	▼	未翻刻六(56)
	5	竹	丹州爺打栗	▼	未翻刻三㉚
	8	豊	久米仙人吉野桜	叢書㊲	
延享1	3	竹	児源氏道中軍記	▼	未翻刻六(57)
	3	肥	義経新含状	▲	未翻刻八(77) 改題本『後藤伊達瞶』が戦前に翻刻
	4	豊	潤色江戸紫	▲	
	9	豊	柿本紀僧正旭車	▼	未翻刻七(66)
	11	竹	ひらかな盛衰記	▽	近世篇参照
	11	竹	八曲筺掛絵	▼	未翻刻七(72)
	12	豊	遊君衣紋鑑	▼	未翻刻六(58)
2	1	明	三軍桔梗原	▼	
	2	竹	軍法富士見西行	叢書㊵	
	2	豊	詩近江八景	▼	未翻刻八(78)
	3	未	萬葉女阿漕	×	写本（一種）が伝存 未翻刻七(67)

	4	明	延喜帝秘曲琵琶	▼	
	5	豊	増補大仏殿献礎	▼	未翻刻六(59)
	7	竹	夏祭浪花鑑	旧大(51)	
	8	豊	**浦島太郎倭物語**	▼	未翻刻八(79)
	閏12	陸	唐金茂衛門東髪	▼	
3	1	竹	楠昔噺	叢書㊵	
	5	竹	追善仏御前	×	『仏御前扇車』近松⑭の改題
	5	竹	追善重井筒	▽	『心中重井筒』近松⑤の改題
	5	豊	酒呑童子出生記	▼	未翻刻五㊿
	7以前	竹	博田小女郎思洑	▽	『博多小女郎波枕』近松⑩の改題
	8	陸	歌枕棣棠花合戦	▼	未翻刻七(68)
	8	竹	菅原伝授手習鑑	旧全㊼	
	10	陸	女舞剣紅楓	▼	未翻刻六(60)
	11	豊	花筏巌流島	▼	未翻刻八(80)
4	2	豊	裙重紅梅服	▼	
	2	陸	鎮西八郎射往来	▼	
	2以降	陸	氷室地大内軍記	×	
	3	豊	万戸将軍唐日記	▼	

年	月	座	外題	翻刻	備考
	7	豊	悪源太平治合戦	▼	
	8	竹	傾城枕軍談	▼	未翻刻三㉛
	10	肥	いろは日蓮記	▼	未翻刻四㊷
	11	竹	義経千本桜	新大(93)	
寛延1	1	豊	容競出入湊	未戯⑫	
	7	豊	東鑑御狩巻	▼	未翻刻七(69)
	8	竹	仮名手本忠臣蔵	新全(77)	
	9	宇	住吉誕生石	▼	
	11	豊	摂州渡辺橋供養	叢書㊲	
2	3	豊	八重霞浪花浜荻	浄翻①	
	4	竹	粟島譜嫁入雛形	▼	未翻刻五(51)
	7	辰	粟島譜利生雛形	×	『粟島譜嫁入雛形』未翻刻(51)の改題
	7	豊	華和讃新羅源氏	真宗	
	7	豊	なには五節句操大踊	×	
	7	竹	双蝶蝶曲輪日記	新全(77)	
	10	肥	日蓮記児硯	▽	『いろは日蓮記』未翻刻㊷の改題
	11	豊	物ぐさ太郎	▼	未翻刻五(52)
	11	竹	源平布引滝	旧大(52)	未翻刻八(81)
3	3	豊	手向八重桜	浄翻①	
	6	豊	夏楓連理枕	▼	
	8	肥	新板累物語	▼	未翻刻六(61)
	8頃	豊	傾城買指南	▼	未翻刻八(82) 『浄瑠璃本史研究』参照
	11	竹	文武世継梅	▼	未翻刻六(62)
宝暦1	1	豊	玉藻前曦袂	▼	未翻刻七(70)
	2	竹	恋女房染分手綱	▼	未翻刻七(71)
	4	豊	浪花文章夕霧塚	▼	
	7	竹	仕合丸浪花入船	×	
	7	豊	頼政扇子芝	▽	『頼政追善芝』一風④の改題
	8	肥	八幡太郎東海硯	▼	
	10	豊	日蓮聖人御法海	未戯⑩	
	10	竹	役行者大峰桜	叢書⑭	
	12	豊	一谷嫩軍記	▲	未翻刻三㉜
	この頃	肥	親鸞聖人絵伝記	×	
2	2	竹	名筆傾城鑑	▼	
	5	竹	世話言漢楚軍談	▼	
	7	肥	太平記枕言	▼	

年	月	座	外題		備考
	11	竹	伊達錦五十四郡	▼	
	12	豊	倭仮名在原系図	▼	
3	5	竹	愛護稚名歌勝鬨	叢書⑭	
	7	豊	雄結勘助島	▼	
4	1	竹	菖蒲前操弦	▲	
	2	豊	相馬太郎孝文談	▼	
	4	竹	小袖組貫練門平	▼	
	7	豊	義経腰越状	▼	
	10以前	竹	太平記曦鎧	▽	*京『大塔宮曦鎧』近松⑭の改題
	10	竹	小野道風青柳硯	叢書⑭	
	10頃	竹	恋女房染分手綱	▽	*京
	12	豊	天智天皇苅穂庵	▼	
5	4	豊	三国小女郎曙桜	▼	
	6	竹	庭涼座鋪操	▼	
	7	豊	双扇長柄松	▼	
	7	竹	庭涼操座鋪	▼	
	11	竹	拍子扇浄瑠璃合	▼	
	11	竹	年忘座鋪操	▼	
6	2	竹	崇徳院讃岐伝記	▼	

年	月	座	外題		備考
	3	豊	義仲勲功記	▼	
	5	竹	業平男今様井筒	▽	*京『京土産名所井筒』未翻刻⑦の改題
	10	竹	平惟茂凱陣紅葉	▼	
	閏10	豊	甲斐源氏桜軍配	▼	
	この年	豊	和田合戦女舞鶴	▽	近世篇参照
7	1	豊	写徧足利染	▼	
	2	竹	姫小松子の日遊	▼	
	3	豊	前九年奥州合戦	▼	
	7	肥	泉三郎伊達目貫	▼	
	9	竹	薩摩歌妓鑑	▼	
	12	豊	祇園祭礼信仰記	叢書㊲	
	12	竹	昔男春日野小町	▼	
8	3	竹	敵討崇禅寺馬場	▼	
	8	肥	聖徳太子職人鑑	▼	
	8	竹	蛭小島武勇問答	▼	
9	2	竹	日高川入相花王	未戯⑦	
	3	豊	芽源氏鶯塚	▼	
	5	豊	難波丸金鶏	▲	
	9	竹	太平記菊水之巻	叢書⑭	

年	月	座	外題	印	備考
	10	竹	楠正行軍略之巻	×	＊京 『太平記菊水之巻』叢書⑭の改題
	12	豊	先陣浮洲巌	▼	
10	3	豊	桜姫賤姫桜	▼	
	7	竹	極彩色娘扇	▼	
	11	竹	年忘座舗操	×	＊大坂曽根崎新地芝居
	12	豊	祇園女御九重錦	叢書㊲	
11	1以前	竹	浪花土産年玉操	×	＊京
	1	竹	安倍清明倭言葉	▼	
	3	豊	八重霞浪花浜荻	▽	＊大坂曽根崎新地芝居 近世篇参照
	5	竹	由良湊千軒長者	▼	
	5	豊	曽根崎模様	▼	＊大坂曽根崎新地芝居
	9	豊	人丸万歳台	▼	
	9頃	豊	下総国累磊	×	近世篇〈補訂篇〉参照
	10	竹	冬籠難波梅	×	
	11	竹	古戦場鐘懸の松	▼	
12	2	豊	三好長慶碪軍談	▼	
	3	竹	花系図都鑑	▼	
	閏4	豊	岸姫松轡鑑	▼	

年	月	座	外題	印	備考
	6	竹	夏祭色浄瑠璃合	×	
	夏	未	忠臣七枚兜	×	写本（一種）が伝存 『浄瑠璃本史研究』参照
	9	竹	奥州安達原	半二	
13	3	豊	洛陽瓢念仏	▼	
	4	竹	山城の国畜生塚	叢書⑭	
	4	竹	天竺徳兵衛郷鏡	未刊⑤	
	4	豊	新舞台咲分牡丹	▼	
	7	豊	新舞台扇子錦木	▼	『浄瑠璃本史研究』参照
	8	竹	御前懸浄瑠璃相撲	×	
	12	豊	馬場忠太紅梅箙	▼	
	宝暦年中	竹	あづま摂恋山崎	×	
	宝暦年中	竹	天神記恵松	▽	『天神記』近松⑤の改題
	宝暦末頃	未	鉐石川五右衛門	×	＊京 『浄瑠璃本史研究』参照
明和1	1	土	吉野合戦名香兜	▼	
	1	北	須磨内裏蕣弓勢	▼	
	1	竹	傾城阿古屋の松	▼	
	3	外	増補姫小松子日の遊四段目	▼	『浄瑠璃本史研究』参照
	4	豊	官軍一統志	▼	

4	肥	祇園祭金閣寺小袖之鏡	×	
4	竹	京羽二重娘気質	▲	
夏	肥	乱菊枕慈童	×	『浄瑠璃本史研究』参照
7	竹	敵討稚物語	▲	
8	外	明月名残の見台	×	
8	扇	増補女舞剣紅葉	▼	
9	外	菊重蘸月見	×	
10	豊	嬢景清八島日記	▼	近世篇参照
11	豊	二ツ腹帯	▽	近世篇〈補訂篇〉参照
11	竹	江戸桜愛敬曽我	×	
12	竹	冬桜咲分錦	×	近世篇〈補訂篇〉参照
12	豊	いろは歌義臣鍪	▲	

（義太夫節正本刊行会）

［付記］翻刻の会（同志社大学）による翻刻一覧

享保13　尊氏将軍二代鑑　『同志社国文学』五七・六〇・六二
元文5　武烈天皇艤　『同志社国文学』六四・六六
寛保1　本朝斑女簔　『同志社国文学』四〇
寛保3　風俗太平記　『同志社国文学』三七
延享1　潤色江戸紫　『同志社国文学』九二・九三
延享4　悪源太平治合戦　『同志社国文学』七〇・七五
宝暦2　名筆傾城鑑　『同志社国文学』四五・四六
宝暦8　聖徳太子職人鑑　『同志社国文学』九六・九八
宝暦11　曽根崎模様　『同志社国文学』四一・四三
明和5　よみ売三巴　『同志社国文学』八二
明和6　振袖天神記　『同志社国文学』八八・九〇
寛政9　会稽多賀誉　『同志社国文学』七四・七七

義太夫節正本刊行会《ぎだゆうぶししょうほんかんこうかい》

飯島　満	伊藤りさ	上野左絵	川口節子
黒石陽子*	坂本清恵	桜井　弘	髙井詩穂
田草川みずき	富澤美智子	原田真澄	東　晴美
渕田裕介	森　貴志	山之内英明	

（*は本巻担当者）

義太夫節浄瑠璃未翻刻作品集成《ぎだゆうぶしじょうるりみほんこくさくひんしゅうせい》（第《だい》8期《き》）⑲

浦島《うらしま》太郎《たろう》倭《やまと》物語《ものがたり》

2025年2月25日　初版第1刷発行

編者 ―――――― 義太夫節正本刊行会
発行者 ――――― 小原芳明
発行所 ――――― 玉川大学出版部
〒194-8610 東京都町田市玉川学園6-1-1
TEL 042-739-8935　FAX 042-739-8940
http://www.tamagawa.jp/up/
振替 00180-7-26665
装丁 ―――――― 松田洋一（原案）・しまうまデザイン
印刷・製本 ―――― 創栄図書印刷株式会社

乱丁・落丁本はお取り替えいたします。

ISBN978-4-472-01701-8 C1091 / NDC912